S0-AXW-718

Bruño

Dirección Editorial:
Trini Marull

Edición:
Cristina González

Preimpresión:
Alberto García

Traducción:
Rosa Pilar Blanco

Ilustraciones:
Birgit Rieger

Diseño de cubierta:
Miguel Ángel Parreño y Equipo Bruño

Título original: *Hexe Lilli Die Reise nach Mandolan*
© Arena Verlag GmbH, Würzburg, 2010
Texto narrado por KNISTER a partir del guión cinematográfico
de Achim y Bettine von Borries, una producción de Blue Eyes Fiction y TRIXTER
Producción global: Westermann Druck Zwickau GmbH
Este libro se ha negociado a través de Ute Körner Literary Agent, S. L.
© Grupo Editorial Bruño, S. L., 2011
  Juan Ignacio Luca de Tena, 15
  28027 Madrid
  www.brunolibros.es

ISBN: 978-84-216-8575-4
Depósito legal: M-28574-2011
Impresión: HUERTAS, Industrias Gráficas, S. A.
Printed in Spain

KNISTER

KiKA
Superbruja
y el viaje a Mandolán

Ⓑ Bruño

Al final de este libro
encontrarás un fantástico
truco mandolano.
Pero no seas impaciente y…
¡espera a llegar
a la página 167!

Esta es Kika,
la superbruja
protagonista de
nuestra historia.

Tiene más
o menos tu edad
y parece una
niña corriente
y moliente.

Bueno,
en realidad lo es…, aunque no del todo.
Y es que Kika posee algo muy poco
común: ¡un libro de magia!

Un buen día, Kika encontró ese libro junto a su cama. Era el libro de magia de la atolondrada bruja Elviruja, que en principio a modo de prueba, deseaba pasárselo a una bruja más joven.

Kika comprendió en el acto que aquel libro contenía auténticos encantamientos y loquísimos trucos de bruja, y ya ha probado algunos. Pero ¡cuidado…!

Será mejor que no intentes imitar los conjuros de Kika, porque...

Si al leer una palabra te equivocas,
tu cepillo de dientes se convertirá en escoba;
tu profesora, en una monstrua abominable,
y el helado que te estás comiendo,
en un pepinillo en vinagre.

Por si acaso, Kika Superbruja no le ha hablado a nadie de su fantástico libro.

Es, como si dijéramos, una bruja auténtica, pero secreta.

Ha ocultado la existencia del libro de magia incluso a Dani, su hermano pequeño, y esto no le ha resultado nada fácil, pues Dani es muy, pero que muy curioso, y a veces hasta puede resultar algo plasta. Pero, a pesar de todo, Kika le adora.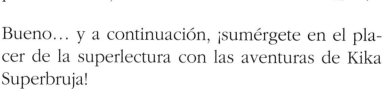

Bueno... y a continuación, ¡sumérgete en el placer de la superlectura con las aventuras de Kika Superbruja!

Capítulo 1

En el que Dani quiere volar

Es jueves por la tarde, y Kika mantiene abierta la puerta de casa para que los dos operarios que transportan una gigantesca caja de cartón puedan pasar. Mamá les ha pedido que la lleven al cuarto de estar.

Dani, el hermano pequeño de Kika, no para de corretear alrededor de los transportistas, que resoplan por el esfuerzo. ¡El bulto pesa un montón!

Una vez que los operarios se han marchado, mamá deja que Kika y Dani la ayuden a abrir la caja.

Impaciente por ver qué hay dentro, Dani empieza a hacerla trizas y va lanzando al aire los trocitos de cartón.

—¡Quieto parado! —lo detiene su madre—. Antes de seguir, ve a lavarte esas manos, por favor. ¡Las tienes sucísimas!

Dani protesta un poco, pero acaba obedeciendo.

¿Y qué es lo que contiene esa misteriosa caja de cartón?

¡Pues el fantástico sillón de lectura que papá y mamá estaban deseando tener! Llevan ahorrando un montón de tiempo para poder comprárselo.

Al volver del baño, Dani se queda boquiabierto al ver el flamante sillón.

Mamá ya se ha acomodado en él, suspirando encantada.

—Uauuu... ¡Esto es lo que yo llamo un supersillón! —comenta Kika, admirada, mientras acaricia el mullido reposabrazos.

Dani aprovecha para subirse al regazo de su madre.

—¿A partir de ahora piensas dormir aquí, mami? —le pregunta.

—Bueno, seguro que más de una vez me quedaré frita aquí tumbada —sonríe mamá—, pero

lo que más apetece hacer en este sillón es leer...
¿Qué os parece si comprásemos también una
lámpara de pie para ponerla al lado? ¡Eso anima-
ría a la lectura!

—Si te apetece... —contesta Kika—. Yo prefiero
leer en la cama.

—Ya, pero este sillón es tan cómodo y elegante... —se entusiasma su madre.

Poco después, mamá se levanta y, con la ayuda
de Kika, empieza a recoger los restos del embala-
je, momento que Dani aprovecha para apropiarse
del sillón, por supuesto. Cuando desliza el trasero hasta el fondo del enorme asiento, ¡los pies le
cuelgan en el aire!

—¡Atención, atención! ¡Al habla Dani, el capitán
de esta nave espacial! —anuncia a grito pelado—. Importante comunicado para la tripulación:
¡Poned rumbo a la estrella Galáctica! ¡Todos pre-
parados para el combate!

Segundos después se pone a mover como loco
los brazos y las piernas, se levanta de un salto y,
con los pies encima del elegante asiento, empieza a menear con todas sus fuerzas el respaldo
del sillón:

—¡Atención! ¡Aquí el capitán! ¡Alerta, tripulación! ¡Sujetaos! ¡Estamos atravesando la galaxia Terremoto!

—¡Baja inmediatamente de ahí! —le interrumpe su madre con voz severa—. Eso no es un juguete. Es un sillón de lectura, ¡y carísimo, además!

—Vaaaale —replica Dani, enfurruñado, antes de irse a su habitación.

Poco después, Kika también se marcha a su cuarto, coge un libro de la estantería, se tumba en la cama y empieza a leer.

—Tengo que salir un momento —anuncia mamá desde el pasillo—. ¡Portaos bien! Vuelvo enseguida. Mientras, podríais ir poniendo la mesa para la cena…

Kika se queda tumbada en la cama. ¡No le apetece nada poner la mesa!

Un segundo después de que su madre cierre la puerta de casa, oye cómo Dani sale de su habitación y va de puntillas al cuarto de estar.

Kika sonríe. ¡Está claro lo que pretende su hermano pequeño!

13

—Bah, me da igual lo que haga ese microbio —murmura, y sigue leyendo tan tranquila.

Pero... ¿qué es ese ruido? ¡Alguien está abriendo la puerta de casa! ¿Mamá se habrá olvidado algo?

Al momento, Kika la oye regañar a Dani:

—¿Qué te he dicho? ¡Baja de ahí ahora mismo! Y como vuelva a pillarte pisoteando el sillón nuevo, vas a salir volando... ¡pero de verdad!

Kika oye cómo su hermano se vuelve a su cuarto refunfuñando mientras mamá sale otra vez de casa.

«¡Ufff, qué paz! ¡A seguir leyendo!», piensa.

Sin embargo, al momento empieza a escuchar unos ruidos... ¡y vienen del cuarto de estar!

ÑIC-ÑIC-ÑIC... ÑIC-ÑIC-ÑIC...

Kika ya no aguanta más tumbada en la cama. ¡Tiene que ir a echar un vistazo!

Como sospechaba, Dani está encaramado en el sillón nuevo con cara de velocidad.

—Pero... ¿es que no has oído lo que te acaba de decir mamá? —le riñe Kika.

—Sí —contesta él.

—¿Y?

—Y por eso estoy aquí, por lo que me acaba de decir —responde Dani, decidido.

Kika no entiende ni papa.

—Mamá ha dicho que, si volvía a subirme aquí, saldría volando… ¡y yo quiero volar! —le explica Dani, agarrándose al sillón con todas sus fuerzas.

—¡No me lo puedo creer! —exclama Kika, que no sabe si reírse o regañarle aún más—. ¡Pero mira que eres bobo, enano! Cuando vuelva mamá, te vas a enterar de lo que vale un peine. O mejor, dos peines…, ¡y puede que hasta tres! Pero te vas a enterar, ¡eso fijo!

Justo en ese momento llaman a la puerta... ¡y Dani salta fuera del sillón como si le hubiera picado una tarántula!

—¡Tranqui, hombre, que no puede ser mamá! —le dice su hermana, muerta de la risa—. ¡Ella tiene llave, tontorrón!

Con Dani siguiéndola a una prudente distancia, Kika va hasta la puerta y pega el ojo a la mirilla.

Es el cartero.

Kika pone la cadena a la puerta, abre una rendija y el hombre le entrega una carta... muy especial.

«Para Kika Superbruja», dice el sobre adornado con un escudo dora-do que representa tres cabezas de elefante.

Kika lo observa con más atención.

Debajo del escudo pone: «Reino de Mandolán».

El sello de correos es muy grande, está muy decorado y en él vuelve a aparecer el escudo con las tres cabezas de elefante.

Es un sello de lo más exótico y lujoso. ¡Kika jamás había visto uno tan espléndido!

—¿Qué es eso? —le pregunta Dani, curioso.

—Nada —le responde Kika—. Es para mí.

Por suerte para ella, ¡Dani todavía no sabe leer!

Con la extraña carta en la mano, Kika se vuelve a su habitación un poco sorprendida de que el plasta de su hermano no la siga…, hasta que cae en la cuenta de que lo más seguro es que Dani haya vuelto a subirse al sillón de lectura.

—¡Bah, mejor para mí! —murmura con una sonrisa—. Así podré leer tranquila esta carta antes de que vuelva mamá… ¡y se arme la marimorena!

Muy intrigada, Kika abre el lujoso sobre y saca la elegante hoja que contiene.

Mientras sus ojos devoran las palabras de la carta, no puede evitar exclamar:

—¡Hummm…! ¡Esto me huele a aventura!

Capítulo 2

**En el que llega una invitación
de un reino lejano**

Excelentísima Kika Superbruja:

Tenemos un gran problema.

El trono real de nuestro país ha sido
hechizado por una pérfida mano,
y necesitamos un contrahechizo.

Por favor, ¿puedes ayudarnos?

Esperamos impacientes y confiados
tu generoso apoyo brujil.

Tuyo afectísimo,

gulimán
Gran Visir de Mandolán

¿«Trono hechizado»? ¿«Contrahechizo»?

Kika relee la carta mientras mil pensamientos le
pasan por la cabeza…

Hay muchas cosas que no comprende: ¿Dónde porras estará ese lugar llamado Mandolán? ¿Y qué narices será un Gran Visir?

¡Bah, da igual! ¡Está decidida a echar una mano de todas formas! ¡Y también sabe quién va a acompañarla en esta nueva aventura!

Kika abre el cajón de su escritorio con su llave secreta y rebusca apresuradamente en su interior. No tarda en encontrar lo que necesita: ¡La escama de Héctor!

El pequeño dragón volador se la entregó como regalo de despedida, ¡y ahora Kika necesita a su regordete amigo![1]

—Siempre podrás llamarme con ayuda de esta escama —le explicó Héctor—. Bastará con que la frotes… ¡y en un periquete estaré junto a ti!

Kika sonríe, feliz. ¡Será genial volver a ver a su glotón preferido!

Aunque lo primero de todo es la seguridad.

---

[1] Si quieres saber cómo Kika conoció a Héctor y disfrutar de las aventuras que han vivido juntos, lee *Kika Superbruja y el libro de hechizos* y *Kika Superbruja y el examen del dragón*, los números 0 y 20, respectivamente, de la colección «Kika Superbruja».

Kika pone una silla detrás de la puerta de su habitación, por si a Dani se le ocurre asomarse a cotillear.

A continuación, frota la escama…

… y no pasa nada.

¿Y si la frota más fuerte?

Ni rastro de Héctor.

«¡Qué raro!», piensa Kika. «A lo mejor ahora mismo está ayudando a la bruja Elviruja con algún hechizo, y por eso no puede venir…».

Decide volver a intentarlo un poco más tarde, y para distraerse durante la espera, buscará *Mandolán* en internet, a ver qué averigua.

Poco después está viendo un documental sobre Mandolán en su ordenador, y así se entera de algunas cosas sobre ese legendario reino…

Mandolán tiene doscientos setenta mil habitantes y un clima subtropical muy caluroso.

Kika hace clic con el ratón y un hombre bastante gordinflón vestido con brillantes ropas multicolores y adornado con un montón de joyas se presenta como Gulimán, el Gran Visir de Mandolán.

Gulimán lleva un turbante muy parecido a una corona, por lo que Kika supone que debe de ser una especie de rey.

—Así que eres tú quien me ha escrito esa carta... —dice, sonriendo al fijarse en los pendientes del Gran Visir... ¡Son clavaditos a los que lleva su abuela!

Junto a Gulimán hay un hombre muy flaco completamente vestido de negro. Tiene la nariz aguileña, una mirada penetrante y gruesos anillos de plata en todos los dedos. Es el mago de la Corte.

«Qué extraño...», se dice Kika. «¿Por qué el Gran Visir me habrá pedido ayuda a mí, si ya tiene un mago a su servicio?».

Tras un nuevo clic, un palacio de ensueño en medio de un hermosísimo paisaje desértico inunda la pantalla del ordenador.

Kika se ha quedado con la boca abierta. ¡Qué lugar tan maravilloso!

De pronto suena una música oriental. Jamás había escuchado algo parecido... ¿Qué instrumentos serán esos? La melodía es de lo más atrayente, como si quisiera embrujar a Kika.

Otro clic y aparecen los miembros de la Corte, con sus pieles oscuras y sus lujosos ropajes de vivos colores.

Un clic más y la pantalla se llena de elefantes también adornados con vistosas telas. Kika contiene la respiración: ¡Entre las poderosas patas de uno de esos enormes animales trota un bebé elefante!

—¡Ohhh, qué cosa más bonita! —exclama nada más verlo—. ¡Estoy deseando ir a Mandolán!

Cada vez más entusiasmada, sigue viendo imágenes de ese fabuloso reino.

Su ruidoso bazar la llena de asombro. Además
de ropas y joyas preciosas, allí se venden las
frutas, verduras y especias más increíbles.
También ve gallinas y grandes sacos de arroz
mientras una voz explica que Mandolán es
«un verdadero paraíso para los *gourmets*».

Kika se levanta de un salto. ¡Se muere por viajar
de una vez a ese maravilloso reino!

Impaciente, vuelve a frotar la escama de Héctor.

¡Nada!

Sigue frotando y frotando, cada vez más fuerte.

—¿Dónde se habrá metido esa lagartija con alas?
—refunfuña.

De pronto, Kika da un respingo. ¡Acaba de oír un
golpetazo en el tejado!

—¡Tiene que ser él! —susurra, emocionada.

Enseguida se asoma a la ventana y, al levantar la vista, descubre al pequeño dragón colgando del tejado. ¡Otro de sus aterrizajes forzosos, sin duda!

—¡Héctor! —grita, alargando los brazos hacia él.

—¡Kika! ¡Mi querida Kika! —resopla el dragón, contentísimo de verla.

¡Hop! Con una cabriola, Héctor salta primero sobre el alféizar de la ventana, después dentro de la habitación y, en un instante, ya se ha fundido en un fuerte abrazo con su amiga superbruja.

—¡Aquí me tienes! —exclama con una gran sonrisa.

—¡Ay, Hector! Tengo tantas cosas que contarte… —dice Kika, sentándolo cariñosamente sobre sus rodillas.

—¿Y vas a tardar mucho? —pregunta Héctor—. Lo digo por tomar un tentempié antes…

—¡No tardaré tanto, so glotón! —responde Kika, echándose a reír.

—Vale. Entonces, ¡adelante!

Kika empieza por enseñarle la carta del Gran Visir.

Héctor necesita un buen rato para leerla, y después empieza a menear la cabeza, haciéndose el interesante.

—Bueno, ¿qué? ¿Qué te parece? —se impacienta Kika.

—No hay que precipitarse. Debemos analizarlo todo con mucho cuidado —le advierte el pequeño dragón con tono sabiondo—. Veamos: Tenemos un trono hechizado por una pérfida mano, lo cual nos indica claramente algo…

27

Kika asiente con la cabeza, deseosa de oír el resto de la explicación, pero Héctor se ha quedado callado.

—¿Qué? ¿Qué es lo que nos indica? —pregunta, ansiosa.

Héctor vuelve a menear la cabeza, dándose importancia, y respira hondo antes de continuar:

—Lo que nos indica es que... ¡no hagamos nada y nos quedemos aquí, tranquilitos!

—¿Quéee? Y eso, ¿por qué? —pregunta Kika, mirando confundida al pequeño dragón volador.

—Querida amiga... —responde él—: ¡No tienes experiencia! Bueno, mejor dicho, tienes muy poca... como superbruja, quiero decir. Y un trono hechizado por una pérfida mano no es moco de pavo... ¡Esa es una misión para la vieja bruja Elviruja!

—Pero la carta del Gran Visir va dirigida a mí y nada más que a mí, ¡a Kika Superbruja! —replica Kika—. Elviruja está jubilada, así que, ahora, ¡su trabajo es MI trabajo! ¡Por eso me dio su libro de magia!

Un poco molesta, da media vuelta y saca algo brillante del cajón de su escritorio: el pendiente en forma de estrella que le regaló la bruja Elviruja.

Mientras se lo pone, Kika añade como quien no quiere la cosa:

—Por cierto… Resulta que el reino de Mandolán es famoso por su exquisita cocina. «Un verdadero paraíso para los *gourmets*», según dice su página web…

Héctor intenta fingir indiferencia, aunque no puede evitar relamerse:

—Bueno, siendo así…

Pero antes de rendirse por completo, mira fijamente a Kika.

—Si esa carta va dirigida a ti y nada más que a ti y este es TU trabajo, entonces… ¿por qué quieres llevarme contigo a Mandolán?

—¡Pues porque no tengo experiencia como superbruja, tú mismo acabas de decirlo! —responde Kika, enfadada, aunque enseguida añade en un tono más suave—: ¡Te necesito, Héctor!

—Ya…, pero ¿para qué?

—Pues... para que me protejas y eso... Eres... ejem... tan fuerte... Y tan listo... Además, ¡eres mi amigo!, ¿o no?

—¡Superclaro! —sonríe Héctor, halagado—. Y ahora... ¿qué tal si zampamos alguna cosita? —añade mientras le gruñen las tripas.

—Tranquilo, comeremos enseguida —dice Kika mientras coge su mochila del armario—. Primero tengo que buscar en el libro de magia unos cuantos hechizos que nos sirvan para esta aventura...

Kika se tumba boca abajo, saca el libro secreto de debajo de la cama y empieza a hojearlo. ¿Qué tipo de sortilegios necesitará practicar en Mandolán?

«Tenemos un gran problema», decía la carta, así que busca en el índice: *Problema, gran.*

¡Ajá, ahí está!: *Cómo hacer que un gran problema se vuelva pequeño.*

Kika anota en un papelito las palabras para realizar ese encantamiento: *Labriudum cosinistra piruna.*

Después añade un par de hechizos que pueden serle útiles, e incluso encuentra un contrahechizo para desembrujar cosas embrujadas.

—Guarda bien esa nota y mantenla en secreto absoluto —le advierte Héctor.

—Sí, sí, ya lo sé... —contesta Kika, distraída—. La regla de bruja número siete, párrafos *x, y* y *z* dice: *¡Jamás, jamás, JAMÁS entregues a nadie tus fórmulas mágicas secretas!*

Kika sigue leyendo el libro de hechizos y, sin darse cuenta, susurra entre dientes:

—*Capilli deliri actum.*

—¡Cáscaras! —Héctor tuerce el morro—. Eso... te desaparecerá enseguida, ¿verdad? —dice mientras señala la cabeza de su amiga.

Sin querer, ¡Kika ha transformado su pelo por arte de magia en una especie de peluca altísima de color verde chillón!

—¿Cómo? ¿A qué te refieres? —pregunta Kika, que sigue distraída leyendo el libro de hechizos.

Héctor se planta muy estirado frente a ella, levanta un dedo y dice con su mejor tono de maestro:

—Querida Kika... La regla de bruja ocho punto cinco, párrafo *b,* dice: *Solo debes pronunciar tus fórmulas mágicas... ¡cuando de verdad sepas hacer magia!*

—¡Huy, tienes razón! Con los nervios, se me ha olvidado esa regla. ¡Ha sido un error de principiante!

—Ay, Kika, Kika, Kika... —la reprende Héctor, meneando la cabeza—. Si ya tienes problemas solo con apuntar las fórmulas mágicas, ¿qué pasará cuando te enfrentes al trono hechizado?

—¡Me alegra que me hagas esa pregunta! —replica Kika, y tras arreglar rápidamente lo de su pelo verde chillón, empieza a buscar *trono hechizado* en el libro de magia.

Después de un buen rato pasando páginas, por fin anota la fórmula adecuada.

—Bueno, ya está —concluye—. Y ahora... ¡en marcha!

Pero en ese momento llaman a la puerta de su habitación.

—¡Kika, abre! —se oye la voz de Dani.

—¡Oh, no! —gime Kika—. ¡Me había olvidado totalmente de él!

La presencia de su hermano al otro lado de la puerta la devuelve de golpe a la realidad. ¿Cómo se le ha podido ocurrir irse sin más ni más a Mandolán, dejando solo a Dani? ¿En qué estaría pensando? Además, mamá debe de estar a punto de volver a casa...

Para que su hermano no pueda oírla, Kika le susurra a Héctor:

—Si desaparezco ahora, mamá y Dani se preocuparán muchísimo y empezarán a buscarme por todas partes.

—¡Ningún problema! —cuchichea Héctor—. Los enviaremos a los dos a un bucle temporal y asunto arreglado.

—¿Un bucle temporal?

—Sirve para mantener a las personas como si estuvieran congeladas, de manera que el tiempo no pasa para ellas. Luego, cuando volvamos, los sacaremos del bucle y no se acordarán de nada.

Kika se ha quedado pasmada por la sorpresa.

—Tú... ¿puedes hacer eso? —pregunta, boquiabierta.

—¡Superclaro! Es uno de mis ejercicios de dragón más sencillos —responde Héctor, orgulloso, sacudiendo las alas—. Elviruja me enseñó el truco y yo lo ensayé inmediatamente... ¡con ella misma!

Kika no sale de su asombro mientras Héctor continúa con una risita:

—Ya he enviado muchas veces a Elviruja a un bucle temporal, sobre todo cuando acaba de preparar una tarta de chocolate. Entonces... ¡ZASSSS!, la mando derechita al bucle y no vuelvo a sacarla hasta que me he zampado la última miga. A veces hay suerte y, como no se acuerda de haber hecho la primera, ¡Elviruja prepara otra tarta!

—¡Menudo gamberro estás hecho! —exclama Kika, risueña.

—¡Kika! ¡Abre de una vez! —chilla Dani, aporreando la puerta.

—¿Qué? ¿Lo mandamos al bucle temporal? —pregunta Héctor con una miradita traviesa.

—Todavía no —responde Kika—. Tenemos que esperar a que vuelva mamá. Así, de paso la envías también a ella al dichoso bucle ese y podremos irnos de una vez a Mandolán.

—¿Y cómo piensas llegar hasta allí? —pregunta Héctor.

Kika coge la carta del Gran Visir y la agita ante las narices del dragón.

—Con el «Salto de la bruja». ¡Esta carta nos llevará justo al lugar donde fue escrita!

—¡Superclaro! —se anima Héctor.

—Necesitaré mi ratoncito para poder volver —recuerda de pronto Kika, y se guarda su peluche favorito en el bolsillo del pantalón—. Y ahora, métete en mi mochila, Héctor. Tengo que dejar pasar a Dani y será mejor que no te vea.

Kika ya va a cerrar la mochila con el pequeño dragón dentro, cuando este vuelve a sacar la cabeza:

—Oye, ¿hoy hay luna llena o cuarto menguante?

—Luna llena —responde Kika, extrañada—. ¿Por qué lo preguntas?

—Porque tengo que usar el hechizo adecuado para el bucle temporal, y ese es un dato importante —murmura Héctor antes de desaparecer de nuevo en el interior de la mochila.

Kika está apartando la silla que bloquea la puerta de su habitación cuando oye volver a su madre, y espera hasta que cuelgue su chaqueta y vaya a la cocina antes de dirigirse hasta allí con la mochila al hombro.

—¿Preparado, Héctor? —le susurra al dragón—. ¡Enseguida entrarás en acción!

Kika ya se encuentra junto a la mesa de la cocina. Mamá está sacando la compra del carrito y guardándola en la nevera. ¡Es el momento perfecto! Lo malo es que allí falta alguien...

—¡Daniiiiii, mira qué cosas tan ricas ha traído mamááááá! —anuncia Kika a grito pelado.

Medio segundo después, su hermano asoma por la puerta de la cocina.

Kika sonríe, da unos toquecitos a su mochila y pregunta:

—Por cierto, ¿habéis oído hablar alguna vez de los bucles temporales?

—Los... ¿qué? —su madre no entiende ni papa.

Kika oye murmurar a Héctor desde dentro de su mochila:

—... *shingadivai*...

¡CRACCCC!

¡Mamá y Dani se han quedado paralizados en pleno movimiento, como si hubieran echado raíces! Completamente quietos, miran al vacío con los ojos muy abiertos. La verdad es que dan un poco de miedo... ¡y también de risa!

—¡Misión cumplida! ¡Estos dos ya no se enteran de nada! —explica Héctor mientras sale de la mochila y va derechito a la nevera—: ¡Mmmm, pepinillos en vinagre, qué ricos! ¡Los mojaré en este batido de chocolate! ¡Ñam-ñammm!

A Kika le cuesta contener la risa al ver cómo ese pequeño tragaldabas se pone morado.

—¡Anda, para de una vez, glotón, que tenemos que irnos!

Entonces agarra de una pata a su amigo, estrecha la carta del Gran Visir contra su pecho y exclama:

—¡Allá vamos, Mandolán!

¡FIUUUUU!

Capítulo 3

**En el que se produce
un ruidoso aterrizaje**

Cuando Kika vuelve a sentir tierra firme bajo sus pies, tarda un buen rato en comprender dónde ha aterrizado.

¡A su alrededor, todo son gritos y confusión!

Un montón de bailarines vestidos con brillantes colores se apartan a toda prisa. ¡Horror! ¡Kika ha caído en medio de una representación!

Preocupada, mira a su alrededor.

Se encuentra en un salón gigantesco, y muchas personas con lujosas ropas están sentadas ante una mesa repleta de los más variados y exquisitos platos.

Al fondo, Kika descubre una orquesta.

La fascinante melodía oriental que tocaban se ha parado de golpe, y los músicos, sentados sobre unos cojines y con cara de susto, han dejado en el suelo sus extraños instrumentos.

En el aire flota un aroma dulzón desconocido para Kika, que sigue observándolo todo, fascinada.

El enorme salón se apoya en multitud de columnas, y todas las paredes están forradas de oro. Magníficos candelabros cuelgan del techo, haciendo brillar la gran sala con un esplendor que deja boquiabierta a Kika.

—¡Uauuuu, menudo palacio! —se le escapa.

La verdad es que debería haberse esperado algo parecido. Al fin y al cabo, la elegantísima carta que ha recibido procede de ese mismo palacio, pero ni en sueños se habría imaginado tanta riqueza junta. ¡Hasta el suelo tiene una lujosa decoración, y apenas se atreve a pisarlo por miedo a que se estropee!

Entre tanto, el barullo y los gritos de pánico han cesado. Todos se han tranquilizado un poco, y algunos músicos y bailarines hasta se acercan a Kika, curiosos.

Sin embargo, un hombre los aparta rápidamente a codazos para abrirse paso entre ellos. Es el único que no lleva ropas elegantes y llamativas, sino que va vestido de negro de la cabeza a los pies.

—¿Qué significa esto? —grita, furioso, mirando a su alrededor—. ¡A mí la guardia! ¡Detened en el acto a esta mocosa!

Asustada, Kika traga saliva, pero enseguida se repone y le muestra la carta del Gran Visir de Mandolán.

—Si no me equivoco, esta carta solicitando mi ayuda procede de este mismo palacio…

El hombre de negro lanza una ojeada al sobre y lo reconoce en el acto.

—¿Tú eres Kika, la famosa bruja? —pregunta, incrédulo.

—No sé si seré famosa…, pero sí soy Kika. Kika Superbruja, para ser exactos —contesta ella, orgullosa—. Y, por lo que sé, usted es el mago de la Corte…

Kika está a punto de explicarle que lo conoce por la página web de Mandolán, pero se muerde la lengua. ¡Que el mago de la Corte piense que, además de superbruja, es adivina!

Y, efectivamente, el hombre de negro la mira con cara de admiración.

—Mi nombre es Abrash —dice con aire vacilante—, pero eso quizá ya lo sepas.

Kika guarda silencio y se limita a sonreír, enigmática.

Después se gira hacia Gulimán, el Gran Visir, que por fin ha logrado deslizar su rechoncho cuerpo entre la multitud de músicos y bailarines para situarse al lado de Abrash.

—Gran Visir, yo soy Kika Superbruja —se presenta con una reverencia—. Me habéis llamado y aquí estoy. Al parecer, tenéis un problema y…

—¿Problema? ¡Aquí no tenemos ningún problema! —la interrumpe bruscamente Abrash, que a su vez es interrumpido por un tremendo golpetazo al que sigue un estrépito ensordecedor…

¡PATAPLOFFFF!

¡CATACRÁS-CRIS-CROS-CRASSSSSSS!

Héctor acaba de realizar uno de sus aterrizajes forzosos más espectaculares encima de la mesa del gran salón, haciendo añicos la valiosísima vajilla.

—Upssss…, perdón. Por desgracia, he sufrido un pequeño contratiempo con los frenos… —susurra el pequeño y regordete dragón.

—¡Ay, Héctor, Héctor, Héctor…! —exclama Kika, sin poder contener la risa.

—¿Qué significa esto? —vocifera el mago Abrash, estupefacto.

Kika le ignora olímpicamente y empieza a abrirse paso entre los mandolanos, que al apartarse de un salto, asustados, han tropezado y caído unos encima de otros y ahora forman una gran montaña humana junto a la mesa del salón.

Kika escala la montaña, coge de la mesa una bandeja de plata vacía, coloca encima a Héctor y lo transporta hasta el Gran Visir.

—¡Oh, qué detalle! ¡Un regalo! —exclama Gulimán, encantado—. ¡Una salamandra! ¡Y qué gordita está! Las salamandras son mi comida favorita…

—Disculpad, Gran Visir, pero no es una salamandra, y mucho menos un regalo —le corrige Kika—. Este es Héctor, mi dragón volador. Lo he traído conmigo porque él nos ayudará a resolver vuestro problema.

—¡Repito que aquí no hay ningún problema! —vocifera el mago Abrash, echando chispas.

—Pues eso no es lo que el Gran Visir decía en su carta... —replica Kika, desconcertada.

—Shhhhh... —susurra Gulimán, llevándose un dedo a los labios—. Es un secreto, y aquí hay demasiada gente delante...

Al instante, Abrash da unas palmadas y ordena a voz en grito:

—¡Todo el mundo fuera! ¡Vamos, deprisita! Y hasta nueva orden, ¡queda terminantemente prohibido entrar en el salón del trono! —y dirigiéndose a Kika, añade en voz baja—: Ahora podrás ver de qué se trata.

—¿Es necesario? —pregunta Gulimán, angustiado—. Ya sabes lo poco que me gusta...

—Lo que tiene que ser, será —sentencia Abrash, haciendo una seña a la guardia de palacio para que se aproxime.

—¡Alto! —ordena Gulimán con voz lastimera—. Que Leila, mi sirviente predilecta, me traiga unos cojines. Ya sabes por qué, Abrash...

El hombre de negro asiente en silencio. Está claro que el Gran Visir y él se han entendido perfectamente.

Kika cree ver una sonrisa maligna en los labios del mago de la Corte y se pregunta qué significará... ¡Se muere de impaciencia por conocer el secreto que esos dos se traen entre manos!

A una orden de Abrash, la guardia de palacio aparta unos cortinajes de seda y descubren un lujosísimo trono. A cada lado de la escalerilla que conduce al real asiento hay una estatua de un elefante, y el respaldo, más alto que una persona, está decorado con figuras de animales y con unas imponentes plumas de pavo real... ¡esculpidas en oro puro!

Mientras Kika y Héctor contemplan boquiabiertos el impresionante trono, una sirviente bellísima entra en el salón con una montaña de cojines que deposita en el suelo, a cierta distancia.

—¿Para qué serán esos cojines? —le susurra Héctor a Kika.

—Ni idea —contesta ella, encogiéndose de hombros—. A lo mejor son para que nos sentemos encima —y, señalando el trono, Kika añade, dirigiéndose a Abrash—: ¿Es ahí donde se sienta vuestro rey?

—¡No! Mejor dicho, sí... En realidad... debería hacerlo —vacila el mago, y tras mirar a su alrededor como para asegurarse de que nadie más puede oírle, susurra—: Ese es nuestro pequeño... ejem... problema —carraspea—. Ahí debería sentarse el rey, pero nuestro pobre rey...

—... O sea, mi tío... —interviene Gulimán, que de pronto estalla en sollozos—... mi pobre y querido tío, nuestro amadísimo rey..., ¡ha muerto!

—Emprendió un largo y penoso viaje demasiado duro para su corazón, que, sencillamente, dejó de latir —continúa Abrash.

—Oh, lo siento mucho —dice Kika, apenada, aunque sigue sin comprender en qué consiste el problema del trono hechizado.

Gulimán deja de llorar de golpe y explica con voz furiosa:

—En resumen, ¡nuestro problema es este majadero! —dice señalando con un gesto a Abrash—. Este mentecato, el supuesto mago de la Corte...

¡no sabe hacer magia! ¡Por eso tengo esta maldita complicación con el trono!

—¿Un mago que no sabe hacer magia? —salta Héctor—. ¡Vaya, eso sí que es gracioso! ¡Ji, ji, ji!

—¡Cuida tus palabras, sabandija con alas! —le corta Abrash—: Soy un maestro de la ilusión y practico los trucos más refinados... ¡No quieras conocerlos en tu propio pellejo!

—Perdón, pero... sigo sin entender en qué consiste vuestro problema —se impacienta Kika, paseando la mirada del mago al Gran Visir y del Gran Visir al mago.

Gulimán se levanta el turbante para rascarse la calva y explica:

—Como Gran Visir de Mandolán, tengo que asumir urgentemente los asuntos de gobierno de mi tío, el rey, y nuestro problema es que este maldito trono está hechizado... ¡Tu misión es desencantarlo con tus poderes mágicos!

—Pues tiene un aspecto completamente normal —comenta Kika—. Es decir, muy valioso y tal, como corresponde al trono de un rey, pero no noto ningún tipo de embrujo en él.

—¡Muéstraselo! —ordena bruscamente Abrash a Gulimán.

—Si no queda más remedio… —suspira el Gran Visir.

A regañadientes, Gulimán sube los escalones que conducen al trono, respira hondo, se frota el trasero y se sienta con mucho, pero que mucho cuidado.

Sin embargo, en cuanto sus generosas posaderas rozan el asiento…

¡ZASSSSS!

¡El rechoncho Gran Visir sale volando por el salón como una bala de cañón multicolor!

¡CATAPLOFFFF!

Gulimán aterriza justo *al lado* del montón de cojines que su sirvienta había preparado para amortiguar la caída y queda despatarrado en el suelo, haciendo muecas de dolor.

—Brrrrrrrrrrr… ¡Siempre igual! —masculla—. Ese condenado chisme no deja que me siente en él. ¡Es un trono perverso y odioso! ¡Haz algo, Kika! Debes librarlo de ese maldito hechizo. ¡Al fin y al cabo, eres una superbruja! —y lanzando una mirada venenosa a Abrash, añade—: ¡El mago de la Corte es demasiado estúpido para desencantarlo él solito!

De pronto se oye una risita contenida y Gulimán, furioso, clava su mirada primero en Kika, después en Héctor… y finalmente se fija en Leila, su sirviente predilecta:

—¿Todavía sigues aquí? ¿Y, encima, osas reírte?

—¡No, mi señor! ¡No me he reído! ¡Jamás me atrevería! —replica la joven, asustada.

—¡Lo he oído perfectamente! Te has reído... ¡de mí! ¿Cómo te atreves? —vocifera el Gran Visir.

—¡No, mi señor! —insiste Leila, arrojándose a los pies de Gulimán.

—¡Mientes! ¡Te he oído! —afirma el Gran Visir muy ofendido, y al instante ordena a la guardia de palacio—: ¡Al foso de las serpientes con ella!

—¡No! ¡No lo permitiré! —grita de pronto Kika, ayudando a levantarse a Leila y colocándose delante de ella para protegerla—. Si le hacéis algo a esta pobre chica, tendréis que resolver solo vuestro problema con el trono... ¡porque yo no os ayudaré!

—¿Es que tienes idea de cómo desencantarlo? —le pregunta Abrash con tono burlón.

Kika traga saliva, pero no duda en responder:

—¡Pues claro que sí! ¿Acaso no soy una superbruja?

—Mejor dicho, ¡es una súper-superbruja! —remata Héctor, orgulloso, colocándose muy tieso al lado de su amiga.

—Entonces, ¿cuál es el contrahechizo? —quiere saber Gulimán—. ¡Vamos, suéltalo de una vez!

Kika niega muy despacio con la cabeza:

—Primero quiero saber qué va a ser de Leila.

El Gran Visir suelta un bufido de furia, pero acaba diciendo:

—La muchacha queda libre. Puede ir donde le plazca.

Leila vuelve a tirarse al suelo y empieza a besar los pies de Kika:

—¡Sé mi nueva ama, te lo ruego! —exclama—. ¡Cumpliré todos tus deseos! Te seguiré hasta el fin del mundo... ¡Me has salvado la vida!

—Vamos, vamos, ¡no ha sido nada! —murmura Kika, abochornada, levantando de nuevo a Leila.

—Bueno, y ahora... ¿qué? ¿Puedes desencantar el trono sí o no? —se impacienta Gulimán.

Kika saca del bolsillo la nota donde apuntó las fórmulas mágicas para el viaje a Mandolán, pero, tras vacilar un segundo, decide preguntar antes:

—¿El trono también expulsaba a vuestro difunto rey?

—¡Eso no tiene importancia ahora! —responde bruscamente el mago Abrash.

—Pues a mí me parece bastante importante... —replica Kika mientras repasa los hechizos de su nota. De repente, ya no está tan segura de que desencantar ese trono sea lo más correcto...

Por fin, bajo la atenta mirada de Abrash, Kika vuelve a guardarse el papelito en el bolsillo y añade, desafiante:

—En caso de que el trono expulse a todo el que quiera ocuparlo, tengo que escoger la fórmula mágica con mucho más cuidado aún, y…

—Pero ¿puedes o no puedes desencantarlo? —la interrumpe el mago de muy malos modos.

—Pues… claro que puedo —responde Kika, no muy convencida—. Al fin y al cabo…

—¡… eres una superbruja! —concluye Héctor.

La cabeza de Kika es un torbellino de ideas: «¿Y si el trono está hechizado para admitir únicamente al rey verdadero? ¡A lo mejor Gulimán no es el sucesor legítimo, y por eso el trono lo rechaza! Si es así, sería imperdonable que yo lo desencantase… ¡Jamás me perdonaría haber permitido que un rey equivocado gobierne Mandolán! Tengo que ganar tiempo como sea para investigar un poco…».

—Entrégame esa nota con la fórmula mágica y *yo* desembrujaré el trono —le ordena Abrash, que ya ha perdido la paciencia.

¡Lo que faltaba!

Kika recuerda la importantísima regla de bruja número 7, párrafos *x, y* y *z: ¡Jamás, jamás,*

JAMÁS entregues a nadie tus fórmulas mágicas secretas!

Debe impedir que el mago se haga con su nota, ¡cueste lo que cueste!

—Ejem... No es tan sencillo... —improvisa—. Hay que... estoooo... —y añade muy deprisa—: En la nota solo figura la indicación para preparar el filtro mágico.

—¿El filtro mágico? —se extraña Héctor.

—¡Sí, el filtro mágico! —repite Kika, guiñándole disimuladamente un ojo—. La nota contiene la receta y las indicaciones para prepararlo.

—¡Ah, ya, te refieres a *ese* filtro mágico! ¡Superclaro! —exclama Héctor, devolviéndole el guiño a Kika.

—¿Y qué necesitas para elaborarlo? —pregunta Gulimán.

—Pues… Unos ingredientes especiales muy… selectos —contesta Kika.

—¿Cuáles? —insiste Abrash—. ¡No disponemos de toda la eternidad, así que dilo de una vez!

—No son fáciles de conseguir… —añade Kika.

—¡Vamos, habla! —la apremia Gulimán, lleno de impaciencia—. Traeremos todo lo que necesites. Mandolán entero se pondrá a tu servicio…

—… solo en lo tocante a los ingredientes, por supuesto —aclara Abrash.

—¿Cuáles son? —quiere saber también Héctor, muerto de curiosidad. ¡Está encantado con el misterio que su amiga está dándole al asunto!

Kika respira hondo y pregunta:

—¿Tenéis algo para escribir? —ya se le han ocurrido bastantes «ingredientes» que costará varios días conseguir. ¡Así podrá ganar algo de tiempo!—: Muy bien… Necesito lava del Vesubio, polvo de carcoma de la termita xilófaga africana y caca de canguro, ¡pero esta última tiene que ser reciente! ¡No debe estar muy reseca!

—¡Uuuuuf! —gime Gulimán mientras Héctor intenta contener la risa.

Sin embargo, el mago Abrash se ha vuelto muy desconfiado de repente…

—¿Y para qué necesitamos ese filtro mágico, si ya tienes una nota con la fórmula? —pregunta.

—Oh, para la fórmula mágica no necesito notas… ¡Es facilísima! —responde Kika sin perder los nervios.

—Ah, ¿sí? ¿Y cómo se llama? —insiste el mago.

—Te revelaré su nombre con mucho gusto. Se llama… —Kika pone voz de misterio y empieza a soltar lo primero que se le ocurre—: *¡Marimbulo!* Es decir…, *Marimbulo-trono,* o *Marimbulo-brasero,* o *Marimbulo-pezuña de caballo,* según lo que se vaya a desencantar… Pero esta fórmula solo funciona con el filtro mágico, que, como es lógico, varía según los distintos contrahechizos que haya que realizar…

Abrash la observa con aire calculador, considerando si debe creerla o no, pero Gulimán enseguida lo arranca de sus cavilaciones:

—¡Vamos, vamos! ¡Conseguid todos esos ingredientes! ¡Aprisa, no hay tiempo que perder! ¡A la superbruja no debe faltarle nada!

—¡Eso, eso, no debe faltarnos nada! —repite Héctor, levantando la voz para que puedan oírle los sirvientes de palacio—: ¡Sobre todo, no olvidéis la tarta de chocolate para mí!

Poco después, Kika y Héctor se encuentran en una lujosísima habitación. Las paredes están adornadas con valiosos tapices, el suelo está cubierto por majestuosas alfombras orientales, y desde las ventanas se disfruta de una espléndida vista del reino de Mandolán.

Cómodamente tumbado en medio de la enorme cama, Héctor va lanzando al aire las uvas de una magnífica cesta de frutas para atraparlas al vuelo entre los dientes. ¡Está en la gloria!

Sin embargo, Kika no parece muy contenta:

—¡Todo este asunto me huele fatal! —murmura entre dientes—. No me fío un pelo de Gulimán ni de Abrash... Esto tiene muy mala pinta, y no me refiero solo al trono encantado...

De pronto, algo la arranca de sus pensamientos.

Fuera se oye un griterío tremendo, y Kika se asoma a la ventana.

Delante del palacio se ha congregado una multitud. Llevan carteles con algo escrito en trazos arabescos que Kika no consigue descifrar, aunque sí que entiende muy bien lo que la gente grita a coro:

—¡Nandi vive! ¡Nandi vive!

El jefe de los manifestantes parece ser un chico de la edad de Kika. Es el que grita más alto mientras levanta el puño en dirección al palacio.

—¡Nandi vive! ¡Nandi vive! ¡Nandi...!

Poco después, los soldados de la guardia real acuden en tromba. Van armados con porras, y tras arrebatar los carteles a la gente y pisotearlos, empiezan a perseguir y a golpear salvajemente a los manifestantes, que huyen despavoridos.

—¿Has visto eso, Héctor? —pregunta Kika con un hilo de voz.

Héctor se ha quedado mudo ante tanta brutalidad.

Todas las dudas de Kika han desaparecido de golpe.

¡Ya sabe lo que debe hacer!

Muy intrigada,
Kika abre el lujoso sobre y saca la elegante hoja que contiene.
Mientras sus ojos devoran las palabras de la carta,
no puede evitar exclamar:
«¡Hummm…! ¡Esto me huele a aventura!».

*Junto a Gulimán hay un hombre muy flaco completamente
vestido de negro. Tiene la nariz aguileña, una mirada penetrante
y gruesos anillos de plata en todos los dedos.
Es el mago de la Corte.*

*¡Hop! Con una cabriola, Héctor salta primero sobre el alféizar
de la ventana, después dentro de la habitación y, en un instante,
se funde en un fuerte abrazo con su amiga superbruja.*

*Kika anota las palabras para realizar el encantamiento.
Después añade un par de hechizos que pueden serle útiles,
y un contrahechizo para desembrujar cosas embrujadas.*

*¡Mamá y Dani se han quedado paralizados en pleno movimiento,
como si hubieran echado raíces! Completamente quietos,
miran al vacío con los ojos muy abiertos.*

Un montón de bailarines vestidos con brillantes colores
se apartan a toda prisa.
¡Horror! ¡Kika ha caído en medio de una representación!

«Gran Visir, yo soy Kika Superbruja», se presenta con una
reverencia. «Me habéis llamado y aquí estoy. Al parecer,
tenéis un problema y…».

Gulimán sube los escalones que conducen al trono, respira hondo,
se frota el trasero y se sienta con mucho, pero que mucho cuidado.

¡CATAPLOFFFF!
Gulimán aterriza justo al lado del montón de cojines que su sirvienta
había preparado para amortiguar la caída…

El jefe de los manifestantes parece ser un chico de la edad de Kika. Es el que grita más alto…

Entonces su mirada se detiene en un encantador de serpientes. «¡Increíble! ¡Así que existen de verdad!», exclama Kika.

*«¡Soy el proveedor oficial de genios de las botellas
del reino de Mandolán!».*

*La nube de vapor que brota de la botella va generando
la figura de una bellísima joven que susurra con voz suave,
dirigiéndose al dragón: «A tu servicio, maestro».*

«¡Allí! ¡Aquella mocosa del pelo rojo!», grita el mago.
«¡Detenedla y traedla ante mí!».

¡Un enorme elefante avanza lenta y pesadamente hacia ella!
«¡Corre tan rápido que las gentes del lugar lo llaman Turbo-Simba!»,
le explica Musa.

Capítulo 4

En el que se hace un viaje
al cementerio del fin del mundo

—¿**D**e verdad tenemos que hacer esto? —protesta Héctor.

No le gusta ni pizca lo que se propone Kika, pero, a pesar de todo, se descuelga tras ella por la ventana.

—Con lo bien que se estaba ahí dentro... Y, encima, ¡seguro que estaban a punto de traerme la tarta de chocolate! —masculla mientras baja por la pared del palacio hasta el suelo.

—¡Tenemos cosas más importantes que hacer que atiborrarnos de tarta de chocolate! —le susurra Kika, impaciente.

A continuación mete en su mochila al pequeño dragón volador y avanza sigilosamente hasta el callejón por donde acaban de desaparecer los manifestantes.

El callejón desemboca en un gran bazar lleno de puestos... y de soldados de la guardia que corren de aquí para allá buscando a los rebeldes, en especial a su joven líder.

Kika mira a su alrededor. ¡Qué extraño le resulta todo! Las casas pintadas de colores contrastan con el suelo de tierra apisonada, y los vestidos de la gente son tan alegres... ¡Qué pintoresco es Mandolán! Le recuerda a *Las mil y una noches*. Durante un instante, la admiración hace que Kika se olvide de la terrible escena que ha presenciado poco antes.

Entonces su mirada se detiene en un encantador de serpientes.

—¡Increíble! ¡Así que existen de verdad! —exclama Kika.

Mientras el encantador interpreta una exótica melodía con su flauta, de una cesta situada a sus pies surge un impresionante reptil. La música se vuelve cada vez más fascinante y la serpiente danza siguiendo el compás, como si estuviera hipnotizada.

—¡Yo quiero una flauta como esa! —exclama Héctor, asomando la cabeza por la mochila de Kika.

Cuando cesa la música, la serpiente vuelve a esconderse en su cesta y, rápidamente, el encantador saca una colección de flautas para vender y las extiende en el suelo, justo delante de Kika.

Incapaz de contenerse, Héctor sale de un salto de la mochila y coge varias flautas, que examina con aire experto.

—¡Cómprame una, cómprame una, cómprame una! —canturrea dando saltitos hasta que Kika se ablanda y le compra una flauta pequeña.

El dragón se pone a tocar enseguida, pero su música no hace salir de su cesta a la serpiente…, sino todo lo contrario. Con semejantes chirridos, ¡no es de extrañar que el pobre reptil se esconda, espantado!

Muy decepcionado, Héctor se mete de nuevo en la mochila.

Al otro lado de la calle, Kika descubre una tienda que la deja boquiabierta.

—¡No puede ser! —susurra—. Y yo que siempre he pensado que los genios de las botellas solo

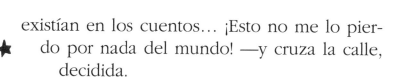

existían en los cuentos… ¡Esto no me lo pier-
do por nada del mundo! —y cruza la calle,
decidida.

La recibe un vendedor con una verruga tan gorda en mitad de la nariz que
a Kika le cuesta despegar la vista de
ella para fijarse en las estanterías de la
tienda. Están llenas de botellas de colores, pero
todas parecen vacías.

—¿De verdad tienen genios encerrados dentro?
—le pregunta al vendedor, señalándolas.

—¡Por Alá! ¿Acaso pretendes ofenderme? —grita
el hombre, indignado, mientras se acaricia la
verruga—. ¡Soy el proveedor oficial de genios de

las botellas en el reino de Mandolán! ¿Es que no has leído el cartel de mi tienda?

—S…s…sí, cla…claro… —tartamudea Kika, que ha visto el cartel, pero no ha entendido ni jota de lo que decía—. Ejem… ¿y sería usted tan amable de enseñarme uno?

—¿Que deje salir a uno de mis genios? ¡Ni soñarlo, lo siento mucho! —responde el hombre—. Quien deja salir a un genio de su botella, se convierte en su maestro y el genio pasa a pertenecerle para siempre, pero para eso… ¡primero hay que pagar!

—¿Y cuánto cuesta una botella? —pregunta Kika, cada vez más intrigada, mientras vacía su monedero sobre el mostrador.

El vendedor jamás había visto unas monedas como esas, pero enseguida disimula su asombro. ¡El negocio es el negocio!

—¡Cómprame una, cómprame una, cómprame una! —canturrea otra vez Héctor, saliendo de la mochila—. ¡Yo quiero tener un genio de la botella

y ser su maestro! Aunque… ¿no se puede ver antes al genio?

—Acabo de decirle a tu amiga que hay que pagar antes de frotar la botella —insiste el vendedor—. Aunque por tan poco dinero solo podré venderos una botella barata con un genio diminut…

El hombre no ha acabado la frase cuando, de repente…

¡FUASSSSSSS!

¡Un genio empieza a salir de una botella!

Y, casualmente, Héctor está justo al lado, poniendo su mejor cara de angelito.

La nube de vapor que brota de la botella va generando poco a poco la figura de una bellísima joven que susurra con voz suave, dirigiéndose al dragón:

—A tu servicio, maestro. Gracias por

haberte decidido por una botella de alta calidad. Mi nombre es Suki. ¿Cómo debo llamarte, maestro?

—Pe...pe...perdón, ¿cómo dices? —tartamudea Héctor, alucinado.

—Por favor, dime tu nombre, maestro mío, para que pueda dirigirme correctamente a ti —insiste la genio Suki.

—Me llamo Héctor, y que sepas que no soy una salamandra, sino un dragón volador de primera clase.

—¡Gracias, maestro Héctor! No eres una salamandra, sino un dragón volador de primera clase —susurra tiernamente Suki—. ¡Estaré siempre a tu servicio!

Entusiasmado, Héctor le tiende la mano a la seductora genio de la botella y ella no solo se la estrecha, sino que además... ¡le da un besito en el hocico!

—¡Me ha bebe...bebe...besado! —exclama el dragón, completamente embelesado.

Kika no puede reprimir una sonrisa, pero el vendedor no está de humor para jueguecitos románticos. Malhumorado, contempla las extra-

72

ñas monedas que Kika ha dejado en el mostrador y se dispone a recogerlas.

—No, no, primero tengo que pensarme bien esta compra... —protesta Kika, recuperando su dinero—. ¡Ni siquiera sé todavía si quiero un genio de la botella!

Rápido como el rayo, el vendedor sale echando chispas de detrás del mostrador. Del enfado, la verruga de su nariz empieza a hincharse y a ponerse cada vez más colorada. A continuación frota la botella de Suki y... ¡FLISSSSHHHH!

La hermosa genio desaparece.

—¡Largo de mi tienda! —grita el hombre, furioso—. ¡Los turistas de pacotilla como vosotros solo dan problemas!

Kika vuelve a meter a Héctor en la mochila y sale a la calle, pero el dragón volador empieza a patalear como loco:

—¡Quiero a Suki, quiero a Suki, quiero a Sukiiii! —gimotea—. ¡La quiero, la quiero y la quieroooo! ¡Suki, Suki, Sukiiiii!

—¡Eh, no seas tan caprichoso, que ya te he comprado una flauta para encantar serpientes!

—le regaña Kika, manteniendo la mochila bien cerrada.

—¡Te regalaré todas mis tartas de chocolate de los próximos diez años! —suplica Héctor.

—Sí, sí…, ¡seguro! —se echa a reír Kika.

—Vale, que sean las de los próximos cien…, no…, ¡las de los próximos mil años! —insiste Héctor.

—¡Silencio! —le interrumpe Kika en un tono que no admite réplica.

El dragón cierra el pico en el acto. Y es que Kika se ha puesto seria de verdad. Acaba de descubrir a varios soldados de la guardia real… ¡en compañía del mago de la Corte!

Lo malo es que Abrash también la descubre a ella…

—¡Allí! ¡Aquella mocosa del pelo rojo! —grita el mago—. ¡Detenedla y traedla ante mí!

Sin pensárselo dos veces, Kika echa a correr por una bocacalle.

Abrash le ha dado mala espina desde el principio, y no piensa dejarse atrapar por él.

Mientras huye a toda velocidad, piensa que le encantaría hablar con el joven líder del grupo de manifestantes. ¡Seguro que él podría aclararle unas cuantas cosas! Al fin y al cabo, a él también le persigue la guardia de palacio...

Kika corre y corre, y de cuando en cuando gira la cabeza. ¡Los guardias le pisan los talones!

¡Adelante, un esfuerzo más!

Al volverse de nuevo, ve cómo poco a poco va distanciándose de sus perseguidores. ¡Es una suerte ser tan deportista!

Pero… ¡horror! De pronto se da cuenta de que ha estado corriendo en círculo… ¡y está otra vez en el bazar!

¡Porras!

Imposible dar media vuelta, así que busca un callejón para huir.

Los soldados ya la han descubierto, ¡y ahora son muchos más!

¡Porras, porras y requeteporras!

La bocacalle que ha elegido para escapar describe una curva cerrada, y al pasar a toda mecha por delante de una puerta entreabierta…

¡ZASSS!

Una mano la agarra por la camiseta y la mete de un tirón en una casa.

—¡Deprisa! ¡Escóndete aquí! —le susurra alguien mientras cierra rápidamente la puerta.

Fuera, Kika oye las fuertes pisadas de sus perseguidores… que pasan de largo.

¡Buffff, se ha librado por los pelos!

Poco a poco, sus ojos se acostumbran a la escasa luz de la casa donde se ha escondido, y de pronto, alguien la coge de la mano.

Kika retrocede de un brinco, asustada, ¿y quién aparece ante sus ojos?

¡Es el joven líder de los manifestantes! ¡Justo la persona a la que quería encontrar!

—¿Quién eres? ¿Y por qué me has ayudado? —le pregunta.

—Los enemigos de Gulimán deben ayudarse entre sí —le explica el chico con una sonrisa.

—Pero yo no soy enemiga de Gulimán —replica Kika.

—Es más, ¡somos sus amigos y queremos ayudarle! —añade Héctor, asomando la cabeza por la mochila—. Aunque, personalmente, ¡yo solo ayudaré si me devuelves a mi Suki! —añade, enfadado, dirigiéndose a Kika.

—¿Es posible que queráis ayudarle? ¿A *él?* —el joven líder de los manifestantes retrocede un paso, horrorizado—. En ese caso, ¡no quiero tener nada que ver con vosotros!

—Bueno…, en realidad, no lo tenemos muy claro… —explica rápidamente Kika—. Pero tampoco se puede decir que Gulimán y Abrash sean nuestros enemigos.

—Y, entonces, ¿por qué huíais de su guardia? —quiere saber el chico.

—Pues la verdad es que no lo sé… ¡No entiendo por qué, de repente, empezaron a perseguirnos! —responde Kika, desconcertada—. Creo que, antes de tomar una decisión, necesito unas cuantas respuestas…

—Entonces… ¿qué hacéis aquí tú y tu extraña salamandra parlante? —insiste el chico.

—Antes de nada, vamos a aclarar una cosita… —replica Héctor, mosqueado—: No soy una «extraña salamandra», sino un dragón volador y me llamo Héctor, y esta de aquí es una superbruja y se llama Kika. Y tú, ¿quién eres?

—Me llamo Musa y lucho por la libertad. Por desgracia, no puedo pelear tanto como me gustaría porque es muy arriesgado: Abrash suele enviar al foso de las serpientes a los que piensan como yo...

—¿Y qué quiere decir eso que gritabais antes: «Nandi vive»? —pregunta Kika.

—Muy sencillo... Significa que Nandi no está muerto —responde Musa.

—Vale, ¿y quién es ese misterioso Nandi? —interviene Héctor.

—¡Nuestro verdadero rey, que está vivo, a pesar de lo que dicen el Gran Visir y su mago! —exclama Musa con los ojos brillantes—. Gulimán aspira a ser coronado en breve, ¡que Alá lo impida!

Kika empieza a comprender. ¡Así que se trataba de eso! ¡Le han pedido que desencante el trono para que lo ocupe un impostor!

—Pues, como que me llamo Kika Superbruja…, ¡vamos a aguarles la fiesta a esos dos! —exclama, decidida—. ¿Dónde podemos encontrar al verdadero rey?

—Eso es muy difícil, mucho más de lo que puedas imaginar… Yo llevo casi toda mi vida intentándolo, y jamás he logrado acercarme a él —suspira Musa, abatido.

—¡Héctor y yo te ayudaremos! —lo anima Kika—. Dime: ¿Lo tienen prisionero en alguna parte?

Tras vacilar un momento, Musa decide confiar en Kika.

—El monarca está… en la Ciudad Prohibida —responde casi en susurros.

—¿Y sabes dónde podemos encontrar ese lugar?

Musa asiente en silencio.

—Entonces, ¿a qué esperamos? ¡Hay que ponerse en marcha antes de que coronen al impostor!

—Caaaalma, Kika —replica Héctor, frenando el entusiasmo de su amiga—. Tú misma has oído la palabra decisiva...

—¿Qué palabra decisiva?

—«Prohibida» —contesta el pequeño dragón—. ¡Ciudad «PRO-HI-BI-DA»! ¿Lo pillas?

Kika pone los ojos en blanco.

—¡Pero bueno! ¿Soy o no soy una superbruja? —pregunta con los brazos en jarras.

—¡Superclaro! Solo quería... ejem... ponerte a prueba —contesta Héctor con un hilito de voz.

Musa está más que dispuesto a guiar a Kika y a Héctor hasta la Ciudad Prohibida, aunque antes previene seriamente a ambos:

—Sus puertas están muy vigiladas, y hay espías voladores por todas partes...

—¿Espías voladores? —se extraña Kika.

—Ya os lo explicaré después… —es la evasiva respuesta de Musa.

—Muy bien, pero ¿conoces algún camino secreto para evitar a esos espías voladores? —insiste Kika.

—¿Me llamo o no me llamo Musa? —sonríe el chico—. ¡Pues claro que conozco un camino! Saldremos de aquí… ¡atravesando las cloacas! Así, ningún espía podrá vernos desde el aire.

Musa enciende una antorcha antes de asomarse con mucho cuidado al callejón.

—Todo despejado —susurra—. ¡En marcha!

Enseguida encuentran una tapa de alcantarilla y, tras levantarla con bastante esfuerzo y echar un vistazo a su oscuro y pestilente interior, los tres desaparecen en las profundidades de Mandolán.

Musa va en cabeza, iluminando el camino, Kika le sigue y Héctor ocupa la retaguardia.

Pese a que el olor es tan repugnante que hace que les lloren los ojos, Musa avanza sin pausa por los tenebrosos pasadizos de las cloacas. Quiere asegurarse de que han dejado muy atrás la ciudad cuando vuelvan a salir a la luz del día.

Tras una larga marcha, por fin llega el momento…

Una escalerilla de hierro los conduce hacia arriba.

Musa empuja con todas sus fuerzas la tapa de la alcantarilla, asoma la cabeza al exterior durante una décima de segundo…

¡... y rápidamente se agacha, dejando caer estrepitosamente la tapa!

—¡Espías voladores! ¡Los tenemos justo encima! —masculla entre dientes—. ¡Seguro que Abrash les ha ordenado que nos busquen!

—¿Qué tal si nos cuentas ya qué clase de espías son esos? —sugiere Kika.

—Se trata de cuervos adiestrados por el propio mago de la Corte —explica Musa—. Llevan instaladas en la cabeza unas pequeñas cámaras que registran todo lo que ven y envían las imágenes al palacio real. Los espías voladores están al servicio exclusivo de Abrash, que gracias a ellos sabe hasta el último detalle de lo que pasa en Mandolán. ¡Hay cientos y cientos! Incluso los he visto sobrevolando la Ciudad Prohibida... Tendremos que esperar a que se marchen los que tenemos encima, porque como nos detecten, la guardia real no tardará en caer sobre nosotros...

—Abrash dijo que era un maestro de la ilusión... —recuerda Kika, meneando la cabeza—. Quizá esa sea la diferencia entre un mago como él y una bruja de verdad: Elviruja puede verlo todo en su bola de cristal, mientras que Abrash necesita cámaras de vídeo...

Musa vuelve a levantar con cuidado la tapa de la alcantarilla y echa un rápido vistazo al exterior.

—Ya no se ven espías voladores —anuncia—. ¡Podemos salir!

Los tres se alegran mucho de encontrarse por fin en la superficie y cambiar por aire puro el horrible tufo de las cloacas.

Ante ellos se extiende una enorme llanura desértica.

Por más que fuerza la vista, Kika no divisa un solo árbol, un arbusto, una roca..., sino simplemente arena y guijarros. Nada que les permita orientarse.

Por fortuna, Musa sabe qué dirección tomar y encabeza la marcha con paso firme, seguido por Kika. Héctor prefiere protegerse del ardiente sol dentro de la mochila de su amiga. A ella también le encantaría caminar a la sombra, pero no hay ninguna a la vista.

Avanzar por el desierto con semejante calor es cansadísimo, y a Kika le parece que han pasado

horas cuando al fin aparecen en el horizonte los perfiles de una construcción. Musa avanza directo hacia ella.

—¿Aquello es la Ciudad Prohibida? —pregunta Kika. Tiene la garganta tan reseca que apenas puede hablar.

—No, son las puertas de Kalabrigún, que en tu idioma significa «cementerio del fin del mundo» —la informa Musa—. De allí a la Ciudad Prohibida aún queda un buen trecho…

—¡Bufff! ¡Menudo viajecito! —resopla Kika.

—¡Agáchate! ¡Rápido! —grita de pronto el chico.

Kika se lanza cuerpo a tierra. ¡Se acerca una bandada de cuervos!

Los espías voladores giran en círculo durante un rato, aunque por fin dan media vuelta y desaparecen por donde han venido.

—Creo que volaban demasiado alto como para detectarnos —dice Musa.

Kika suspira, aliviada. Si Abrash se entera de que se ha propuesto liberar al rey Nandi, ¡y con la ayuda de un joven rebelde!, intentará evitarlo a toda costa. Aún les queda un largo camino por recorrer... y deben apresurarse.

Cuando por fin cruzan las grandes puertas de Kalabrigún, el cementerio del fin del mundo, Musa sonríe al descubrir a un anciano con un turbante gris sentado sobre las ruinas de un muro.

—Espera aquí —le pide a Kika mientras corre hacia el anciano. Después de hablar un momento con él, regresa con buenas noticias—: Hemos tenido mucha suerte... ¡Simba nos llevará hasta la Ciudad Prohibida!

—¿Ese hombre es Simba? —pregunta Kika.

Musa se echa a reír:

—¡No, él es Gupta! Simba es ese de ahí, a tu espalda…

Cuando Kika se da la vuelta, ¡ve a un enorme elefante que avanza lenta y pesadamente hacia ella!

—Aunque ahora no lo parezca, ¡corre tan rápido que las gentes del lugar lo llaman Turbo-Simba! —le explica Musa, y Kika suelta una carcajada.

—¡Eh, que yo también quiero enterarme de eso tan gracioso! —refunfuña Héctor, asomando la cabeza por la mochila—. ¡Cáscaras! ¿Ese bicho tan grandote muerde? —pregunta, asustado, nada más ver a Simba.

—¡Qué va! Os llevaréis fenomenal —le tranquiliza Musa.

—Bien, entonces… ¡en marcha! —exclama Gupta, que entre tanto se ha reunido con el grupo.

El anciano hace una señal a Simba para que permita montar a sus pasajeros, pero justo cuando Kika, entusiasmada, se dispone a encaramarse al lomo del elefante…

—Me temo que tenemos visita —dice Gupta, señalando a lo lejos con expresión preocupada.

En el horizonte se divisa una gran nube de polvo.

—¿Qué es eso? —pregunta Kika.

—Jinetes... —contesta el anciano.

Aún pasa un buen rato hasta que Kika distingue en la distancia todo un pelotón de soldados que se acercan a galope tendido.

—¡Es la guardia real! —grita Musa—. Seguro que los espías voladores nos descubrieron antes... ¡y ahora Abrash ha enviado a sus esbirros!

—¿Y no podemos escondernos en alguna parte? —pregunta Héctor, que ha vuelto a meterse en la mochila de Kika, por si las moscas.

—Demasiado tarde —contesta Gupta muy serio—. Hay que pensar en otra cosa.

Musa se coloca delante de Kika con aire protector y exclama valientemente:

—¡No me rendiré sin luchar, aunque sea hasta la muerte!

¿Y Kika?

¡Ella saca su nota del bolsillo y repasa a toda velocidad las fórmulas mágicas que ha preparado para ese viaje!

Lo malo es que ninguna sirve para pelear contra un grupo de soldados a caballo…

Antes de esconderse definitivamente en la mochila, Héctor gime, aterrado:

—¡Glupsss! Creo que tenemos un problema bien gordo…

—¡Eso es! —exclama de pronto Kika—. En mi nota hay un conjuro para hacer que un gran problema se vuelva pequeño… ¡Mil gracias, Héctor!

La situación es crítica. La guardia real está a punto de alcanzarlos, y Musa ya ha adoptado una posición de combate.

Entonces, extendiendo las manos con gesto solemne, Kika entorna los párpados y recita:

—*Labriudum cosinistra piruna*.

Y, al instante, los soldados de la guardia empiezan a encoger… ¡hasta volverse incluso más pequeños que Héctor!

Musa y Gupta apenas dan crédito a lo que ven, y Héctor vuelve a asomar por la mochila, feliz. ¡Hasta la misma Kika está impresionada por sus artes mágicas!

Algunos diminutos soldados hacen ademán de huir, pero su capitán se lo impide y los obliga a mantener la formación de ataque en dirección a las ahora gigantescas figuras de Kika y Musa.

—Hay que reconocer que son valientes… —murmura el chico, impresionado.

—Bueno, bueno, bueno… ¡Ha llegado la hora de que intervenga el gran Héctor! —se escucha de pronto una vocecilla.

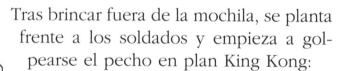

—¡Eh, tú! ¿Qué haces? ¡Quieto ahí! —ordena Kika al pequeño dragón.

Pero a Héctor ya no hay quien lo pare.

Tras brincar fuera de la mochila, se planta frente a los soldados y empieza a golpearse el pecho en plan King Kong:

—¡Aquí tenéis a un auténtico dragón volador de combate! —ruge amenazador mientras una minúscula llama sale retorciéndose de su boca.

El capitán de la guardia huye pidiendo socorro; sus soldados, paralizados por el pánico, se limitan a mirar al inmenso dragón con los ojos desorbitados, y Kika y Musa se esfuerzan por contener las carcajadas.

No contento con eso, Héctor coge carrerilla y se lanza a uno de sus vuelos desastrosos que acaba pareciéndose mucho a un salto de kung-fu.

Al verle acercarse, los soldados de la guardia empiezan a chillar aterrorizados y corren a esconderse donde pueden.

Tras aterrizar panza arriba, el dragón se levanta a toda velocidad y pregunta, orgulloso:

—¿Qué, cómo he estado?

Muertos de la risa, Kika y Musa se ponen a aplaudir como locos.

—¡Gracias, gracias! ¡Sois un público estupendo! —exclama Héctor con una profunda reverencia.

—¿Los soldados se quedarán así de pequeños para siempre? —quiere saber Musa.

—No —contesta Kika—. Por desgracia, el encantamiento no durará mucho…

—Aunque recuperen su tamaño, ya no nos seguirán allá adonde vamos. De todas formas, ¡será mejor que no perdamos más tiempo! —dice el chico, preparándose para subir al elefante.

Simba extiende su trompa como si fuera un tobogán, y así, Musa, Kika y Héctor pueden trepar fácilmente. Gupta, en cambio, sube por una de las patas dobladas que Simba le ofrece.

Kika se agarra con fuerza a la manta de vivos colores que cubre el lomo del elefante y este emprende la marcha por el inmenso desierto a una velocidad impresionante.

¡Uauuu! ¡Qué sensación!

La brisa provocada por la rapidez del animal alborota los cabellos de Kika y hace que el calor sea más soportable.

Acomodado entre las orejas del gran elefante como si fuera el capitán de un barco, Héctor también está disfrutando de lo lindo:

—¡Yupiii! ¡Yupiiiiii! —exclama, entusiasmado.

Encantada con la experiencia, Kika estrecha la mano de Musa y, por un momento, los dos olvidan todas sus preocupaciones.

Cuando el sol ya está a punto de ponerse, llegan a un antiguo poblado en ruinas, y Kika percibe cómo la visión de las cabañas derrumbadas entristece un poco a su joven amigo.

—El reino de Mandolán termina justo aquí —anuncia Musa—. A partir de ahora, tendremos que seguir a pie.

—¿Y la Ciudad Prohibida? —pregunta Kika.

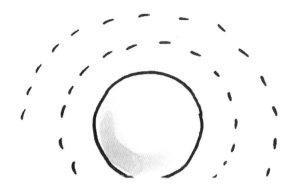

—Está mucho más allá, en lo que llamamos la Tierra de Nadie... —explica el chico—. Gupta y Simba no pueden acompañarnos. Nadie de Mandolán, ni de ningún otro lugar, avanzará un paso más en dirección a la Ciudad Prohibida.

Capítulo 5

**En el que la situación
se vuelve venenosa**

—Que Alá os acompañe y os proteja en vuestro camino —se despide Gupta.

Tras observar apenados cómo el anciano y su elefante se alejan, Kika y Héctor siguen a Musa, que ya ha tomado la senda que conduce a la Tierra de Nadie.

Los tres caminan juntos y en silencio bajo el sol poniente.

Horas después, agotados y sudorosos, llegan a la orilla de un río de aguas tranquilas.

Kika está sorprendida: ¿Un curso de agua en mitad del desierto?

—Es el río Mandok —dice Musa.

Más allá de la otra orilla, entre jirones de niebla, Kika distingue los contornos de una ciudad abandonada.

En la oscuridad de la noche, aquel lugar tiene un aspecto de lo más amenazador.

Sin necesidad de explicaciones, Kika sabe muy bien lo que está viendo.

—Así que esa es la Ciudad Prohibida… —dice con tono respetuoso, y Musa se limita a asentir gravemente.

Héctor es el único que no parece impresionado.

—¡Agua! ¡Yujuuu! ¡A la piscina! —se entusiasma al ver el río a sus pies.

—¡No! ¡¡¡No lo hagas!!! —le advierte Musa, alarmado.

¡CHOFFFFF!

Demasiado tarde... El pequeño dragón ya se ha zambullido.

—¡Esa agua es venenosa! —exclama Musa—. ¡No se te ocurra tragar ni una gota!

Héctor, que ya estaba chapoteando tranquilamente, replica asustado:

—¿Venenosa? ¡Ay, madre! —y, del susto, se olvida de nadar y se sumerge un momento, para volver a salir a la superficie entre toses y pataleos.

—¡Sal de ahí ahora mismo! —le ordena Kika, angustiada.

El dragón no necesita que se lo repitan y sale del agua tan aprisa como puede. Mirando a Musa con los ojos como platos, le pregunta con un hilito de voz:

—¿Venenosa? ¿Cómo de venenosa?

De pronto, su barriga empieza a hacer unos ruidos tremendos.

—¡Oh, oh, oooooh! —Héctor pone los ojos en blanco... ¡y se cae de espaldas!

Musa menea la cabeza y lanza un suspiro de lástima.

Muerta de preocupación, Kika se arrodilla junto al pequeño dragón, que permanece tendido en el suelo.

—¡Que te vaya muy bien, Kika! —gime Héctor, con los ojos cerrados—. ¡Conocerte ha sido una experiencia maravillosa!

—¡Déjalo ya, Héctor! ¡Me estás asustando! —le riñe ella, luchando contra las lágrimas, pero el dragón sigue sin abrir los párpados—. ¡Todavía te necesito!

—Bah, hablas por hablar... —replica el dragón, entreabriendo débilmente los ojos.

—¡No! Tú nos salvaste de los soldados de la guardia —le recuerda Kika en voz baja—. Imagínate lo orgulloso que estará de ti todo el mundo cuando lo cuentes por ahí...

—¿También Suki? —pregunta Héctor.

—¡Por supuesto! ¡Suki también! —le asegura Kika.

Héctor sonríe, vuelve a cerrar los ojos... y pierde el conocimiento.

Musa le prepara un cómodo lecho con las hierbas que crecen junto al río, y enciende una pequeña hoguera a su lado con ramitas que las aguas han arrojado a la orilla.

—¿Crees que está grave? —le pregunta Kika con voz temblorosa tras acostar a Héctor con mucho cuidado.

—Es muy posible que no salga de esta —susurra tristemente Musa mientras se inclina sobre el dragón y le acaricia la frente. ¡Le ha tomado mucho cariño!

Derrumbada junto a Héctor, Kika le sostiene una pata, que nota cada vez más caliente. Los gemidos de su pequeño amigo, que sigue inconsciente, le parten el corazón.

—Creo que tiene mucha fiebre —dice en voz baja.

A la temblorosa luz de la hoguera, la preocupación de Kika y Musa crece cada vez más.

De pronto los sobresalta un coro de gritos lejanos, procedentes de la otra orilla del río.

—¡Monos! —exclama Musa—. ¡Son los guardianes de la Ciudad Prohibida!

Kika se levanta de un salto y aparta un poco a su joven amigo del lecho del dragón enfermo.

—No podemos esperar más —le cuchichea—. Tenemos que liberar al rey Nandi *ahora mismo*. Así podremos llevar a Héctor a un médico cuanto antes...

—¿Ahora mismo? —replica Musa, angustiado—. ¡Pero si ya se ha puesto el sol! Sé que suena ridículo, pero yo... ¡yo no puedo ir a la Ciudad Prohibida de noche!

Kika observa el rostro de su amigo a la luz del fuego. Sus ojos están desorbitados y se ha puesto muy pálido. Musa tiene miedo de verdad, ¡un miedo terrible!

—De acuerdo... Iré yo sola —suspira Kika—. Es mi destino de superbruja.

—Por favor, Kika, créeme... Me gustaría ayudarte, pero... —se disculpa Musa.

—Tranquilo —le interrumpe ella—. De todas formas, alguien tenía que quedarse con Héctor. No podemos dejarlo solo en su estado.

Agradecido por la comprensión de su amiga, Musa se limita a asentir en silencio.

El tiempo apremia, y Kika corre hasta el lecho del dragón.

—Escucha, Héctor: Tengo que irme un momento.

Él abre un poco los ojos, enfoca una mirada asustada en Kika y susurra:

—¿A la Ciudad Prohibida?

—Sí, pero no te preocupes. Musa cuidará de ti. Y ahora, voy a hacerte una promesa... —dice con un nudo en la garganta—: Si resistes y te curas, ¡te compraré a Suki! Al fin y al cabo, tú eres su maestro...

—Oh, Suki..., mi querida Suki... —sonríe débilmente Héctor—. Yo también quiero hacerte un regalo, Kika —añade, entregándole la pequeña flauta para encantar serpientes—. A mí no me funciona del todo bien, pero seguro que tú tienes más talento. A lo mejor te resulta útil…

Kika le acaricia tiernamente la cabeza y, con los ojos llenos de lágrimas, se pone en pie, decidida.

Pese a que la luna brilla en el cielo, sobre las aguas del río se han levantado espesos bancos de niebla que impiden divisar la Ciudad Prohibida.

Kika y Musa avanzan un corto trecho por la orilla hasta encontrar una pequeña balsa.

—Hasta luego, Musa. ¡Cuida de Héctor, por favor! —le pide Kika.

Al chico le tiemblan los labios. No es capaz de decir una sola palabra. En silencio, ayuda a Kika a empujar la balsa hasta el centro del río.

—¡Te traeré a tu rey! ¡Te lo prometo! —le grita Kika antes de desaparecer en la niebla.

Musa levanta un brazo en señal de despedida y, con el corazón encogido, regresa al lado del dragón enfermo.

Capítulo 6

**En el que Kika visita
la Ciudad Prohibida**

Kika avanza entre la densa niebla que flota sobre el río. ¡Apenas ve su propia mano cuando se la pone delante de los ojos!

Por suerte, Musa ha empujado la balsa en la dirección adecuada, así que bastará con que mantenga el rumbo.

Mientras se impulsa con un pequeño remo sobre las negras aguas del río, Kika escucha cada vez más cerca los chillidos de los monos... y otros sonidos mucho más inquietantes.

Por fin, la gigantesca puerta de piedra de la Ciudad Prohibida surge entre la niebla, y Kika ve a un montón de monos correteando sobre ella a la luz de la luna.

Cuando la balsa alcanza la orilla, la recibe un espantoso griterío. ¡Los monos la han descubierto y chillan enloquecidos!

Tras saltar a tierra, Kika respira hondo y echa a correr hacia los enormes escalones que conducen a la puerta de la Ciudad Prohibida. ¡Intenta ignorar por todos los medios a los cientos de monos que saltan a su alrededor, furiosos! Uno de ellos le tira de la camiseta y otro

la agarra de la mano
e intenta arrastrarla en
otra dirección, pero Kika logra quitárselos
de encima y los dos monos vuelven a
reunirse con sus ruidosos compañeros.

A ambos lados de la puerta, un par de
fieros leones de piedra de tamaño colosal parecen a punto de rugir: «¡Prohibida
la entrada! ¡Peligro de muerte!».

Sin embargo, Kika no se deja asustar
y traspasa la puerta con decisión.

La pálida luz de la luna cae sobre
la Ciudad Prohibida, o mejor dicho,
sobre lo que queda de ella…

Restos de muros solitarios se alzan
fantasmales hacia el cielo, y las pilas
de escombros parecen no tener fin.

Aquel es un lugar en ruinas.

Kika se adentra en la Ciudad Prohibida sorteando montones de piedras. Aquello es un hervidero de monos, pero, por suerte, no parecen agresivos.

Al llegar a un destartalado puente colgante, Kika se detiene. ¿Adónde conducirá? Y lo que es más importante: ¿Se atreverá a cruzarlo?

Las cuerdas y los tablones que lo forman parecen hechos polvo. ¿Resistirán su peso?

Kika mira a su alrededor en busca de otro camino, pero ese puente parece su única posibilidad de avanzar. ¡No le queda más remedio que atravesarlo!

*«¿Crees que está grave?», pregunta Kika con voz temblorosa
tras acostar a Héctor con mucho cuidado.
«Es muy posible que no salga de esta», susurra tristemente Musa.*

*Musa ayuda a Kika a empujar la balsa hasta el centro del río.
«¡Te traeré a tu rey! ¡Te lo prometo!», le grita Kika
antes de desaparecer.*

Está claro que ese monstruo tampoco es una ilusión…
¡Es muy real, y se acerca cada vez más! Kika retrocede
de un salto y se esconde detrás de una columna.

Kika sale de su escondite y, sujetando la resplandeciente estrella
con el brazo muy estirado, como si fuera una espada láser,
¡avanza derecha hacia el monstruo!

Dentro de esa jaula hay alguien prisionero, y su larga barba blanca revela que se trata de un hombre… Kika siente un escalofrío de emoción. ¡Ese tiene que ser el rey Nandi!

Kika saca la flauta que le ha regalado Héctor y toca unos cuantos acordes… que suenan tan mal que la serpiente no solo no se tranquiliza con ellos, ¡sino que sale pitando, aterrada!

«Majestad, os presento a Musa, vuestro súbdito más fiel.
Él es quien me ha conducido hasta vos».
Emocionado, el joven cae de rodillas ante su rey.

«¿Qué puedo hacer por vosotros?»,
pregunta la sanadora.

«Con mi cataplasma especial hecha de fango, algunas hierbas medicinales y veneno de serpiente, dentro de un par de horas vuestro dragón estará más fresco que una lechuga».

«¡Alto! ¡Me rindo!», exclama Kika, desesperada, y se saca del bolsillo la nota con las fórmulas y se la tiende al mago. «Aquí encontrarás todo lo que necesitas, ¡miserable!».

De pronto, una vocecilla chillona rompe el silencio…
«¡KIKAAAAA!».
«¡Héctor! ¡Estás curado!».

¡Abrash se ha puesto tan inmensamente redondo
que jamás podría sentarse en ningún trono!

*Nandi avanza majestuosamente hacia el escenario,
sube los escalones y toma asiento en el trono…
¡sin que este lo rechace!*

*«¡Nandi vive! ¡Nandi es justo», resuena por toda la plaza.
«¡Viva Nandi, nuestro verdadero rey!».*

«Amigo mío… ¡Ha sido una aventura maravillosa!
Pero ahora tengo que marcharme…».
«¿Para siempre?», le pregunta Musa mientras la abraza.
«Espero que no», responde Kika.
«Seguro que volvemos a vernos».

Título original: *Hexe Lilli – Die Reise nach Mandolan*. Alemania, 2011
Producción: blue eyes Fiction / Corinna Mehner y Martin Husmann;
TRIXTER Productions / Michael Coldewey
En coproducción con: Dor Film / Österreich, Steinweg Emotion Pictures / España,
Buena Vista International Film Production y Babelsberg Film / Alemania
Guión (de acuerdo con los libros infantiles de «Kika Superbruja», de KNISTER):
Bettine y Achim von Borries
Dirección: Harald Sicheritz
Animación de Héctor y Suki: TRIXTER Film
Reparto: Alina Freund, Pilar Bardem, Anja Kling, Ercan Durmaz, Jürgen Tarrach, Michael Mendl,
Tanay Chheda u.a.; voz de Héctor: Michael Mittermeier; voz de Suki: Cosma Shiva Hagen
© de todas las fotografías: blue eyes, TRIXTER, Marco Nagel & Gordon Mühle
Distribución: Walt Disney Pictures

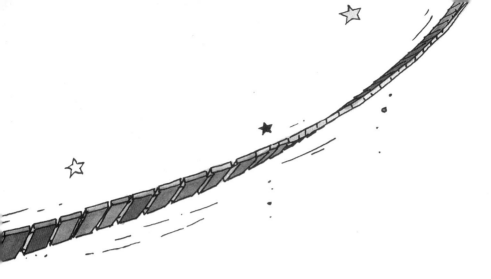

Con mucho cuidado, pone un pie sobre la madera carcomida, luego el otro pie, y así va desplazándose, pasito a pasito y conteniendo el aliento.

Lo malo es que, cuanto más avanza, más oscila el puente colgante...

¡CRACCCCC!

¡Porras! ¡Un tablón podrido acaba de partirse bajo su peso!

Kika se salva por los pelos saltando al siguiente tablón. ¡El corazón le late a mil por hora!

—¡Adelante, no tengas miedo! —se anima a sí misma—. El pueblo de Mandolán necesita a su verdadero rey... ¡Tu misión es llegar hasta él y liberarlo!

Kika continúa avanzando, pero de repente ve algo que la hace detenerse en seco.

A su alrededor bullen cientos…, miles…, ¡millones de escarabajos! Están por todas partes, y no tardarán en llegar al puente…

Kika no puede evitar estremecerse.

—Calma… No te pongas histérica —se dice, respirando hondo.

Entonces mira con más atención… ¿y qué descubre?

Al observarlos detenidamente, los escarabajos no parecen estar vivos, sino más bien… ¿pintados?

De pronto, una sonrisa de alivio se dibuja en su cara. ¡Acaba de acordarse de la lamparita de noche de su hermano Dani! La pantalla tiene unas ovejitas pintadas, y cuando se enciende la lamparita, esa pantalla gira y parece como si las ovejitas caminasen por las paredes de la habitación.

—¡Eso es! —exclama Kika, echándose a reír.

Los escarabajos no son más que una ilusión, ¿y quién dijo que era todo un maestro en esa materia? ¡El mago de la Corte!

—¡Un truco tan malo no va a detenerme, Abrash! —grita Kika, desafiante.

Con ánimos renovados, cruza rápidamente el puente y, tras adentrarse por un siniestro sendero, se topa con una construcción gigantesca rematada por una impresionante cúpula.

Kika se aproxima a la puerta del edificio, que está bellamente tallada, y la empuja con mucha cautela. ¡No está cerrada con llave!

Al asomarse al interior, la escasa luz solo le permite distinguir una enorme sala llena de columnas altísimas. No es capaz de calcular el tamaño de aquella estancia, pero por el eco que provocan sus pisadas, debe de ser colosal.

Un fuerte olor muy desagradable flota en el ambiente.

¿Tendrán prisionero a Nandi ahí? ¡Kika tiene que averiguarlo!

La puerta se cierra a su espalda con un ruido sordo mientras Kika se interna en la inmensa sala.

Poco a poco, sus ojos se acostumbran a la penumbra, y entonces descubre por qué en aquel lugar huele tan horriblemente mal...

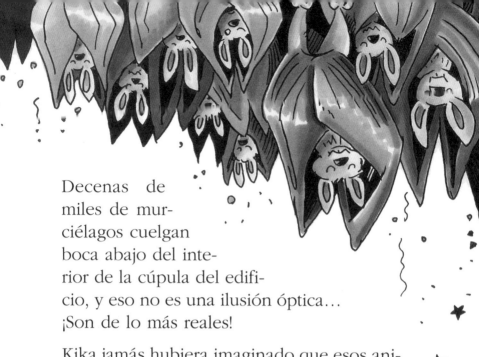

Decenas de
miles de mur-
ciélagos cuelgan
boca abajo del inte-
rior de la cúpula del edificio, y eso no es una ilusión óptica…
¡Son de lo más reales!

Kika jamás hubiera imaginado que esos animales olieran tan mal. ¡La peste es tan inso-
portable que hasta tiene que taparse la nariz!

La forma en que aquella increíble cantidad de murciélagos
cuelga del techo tiene algo
de fantasmagórico, y Kika no
quiere ni imaginarse el espan-
to que se desencadenaría
allí dentro si a todos
les diera por echar
a volar a la vez, así
que continúa avan-
zando de puntillas.

De pronto, dos puntos brillantes aparecen en la distancia.

¡Parecen ojos!

¡Y se dirigen directamente hacia ella!

Kika se queda sin respiración cuando un rayo de luna ilumina al poseedor de esos ojos…

¡Porras, porras y requeteporras!

¡Es un monstruo!

Mucho más grande que una persona, el horrible ser tiene un aspecto que recuerda al de un enorme robot. En su avance hacia Kika, mantiene las piernas rígidas y su paso es bamboleante, aunque no por ello resulta menos amenazador, sobre todo teniendo en cuenta que en una de sus manos sostiene un pavoroso puñal...

—¡No tengo miedo! ¡No tengo miedo! —musita Kika una y otra vez.

Pero, en esta ocasión, sus palabras de ánimo no parecen dar resultado.

Por su forma de caminar, casi mecánica y arrastrando los pies, está claro que ese monstruo tampoco es una ilusión... ¡Es muy real, y se acerca cada vez más!

Kika retrocede de un salto y se esconde detrás de una columna.

¡Está aterrorizada!

En su interior, una vocecilla le grita: «¡Deja en paz a Nandi, sal pitando de la Ciudad Prohibida y olvídate para siempre de Mandolán!».

Kika nota el ratoncito de peluche dentro de su bolsillo. Le bastaría susurrar la fórmula mágica del «Salto de la bruja» para volver a su casa, a su habitación...

«¡Olvídate para siempre de Mandolán!», le repite esa vocecilla interior.

¿Abandonar sin haber cumplido su misión? ¿Decepcionar a Musa, cuando él ha creído en ella? Y aún peor... ¿Dejar tirado a Héctor, con lo enfermo que está, además?

¡Kika jamás podría perdonarse si hiciera todo eso!

Desesperada, se tapa la cara con las manos, y al hacerlo roza el pendiente en forma de estrella...

—Te dará fuerzas si alguna vez estás en un apuro —le dijo la bruja Elviruja cuando se lo regaló.

La verdad es que ahora no le vendría mal un poco de fuerza, ¡y también de valor!

Kika se quita el pendiente con mucho cuidado y, aún escondida tras la columna, lo mira de cerca. Incluso en medio de la oscuridad, desprende un brillo de lo más enigmático...

De pronto, Kika sale de su escondite y, sujetando la resplandeciente estrella con el brazo muy

119

estirado, como si fuera una espada láser, ¡avanza derecha hacia el monstruo!

¡El pendiente le ha dado las fuerzas y el valor que necesitaba!

Entonces sucede algo increíble...

¡El poder del pendiente surte efecto y el monstruo se detiene en el acto!

Cuando Kika sigue caminando con paso firme hacia él, sin dejar de sostener la estrella, el monstruo retrocede un poco... y se queda inmóvil.

Unos pasos más y Kika ya lo ha alcanzado.

¿Qué se propone?

¿Derribarlo?

¡No!

Está segura de que lo único que pretende ese horrible ser es cerrarle el paso hacia el rey, así que continúa andando valientemente, pasa justo al lado del monstruo... ¡y lo deja atrás!

Llena de orgullo, Kika vuelve la cabeza, ¿y qué es lo que ve?

¡La espalda del monstruo está hueca!

En su interior, unos cuantos monos luchan por controlar las diferentes ruedas y palancas que hasta ahora servían para moverlo...

¡En realidad se trataba de otro truco de Abrash!

—¡Bah, menudo mago de pacotilla! —murmura Kika—. Has llenado de trucos la Ciudad Prohibida para mantener a las gentes de Mandolán lejos de su rey... ¡Pero este circo no va a detener a una superbruja como yo! Tus malas artes han llegado a su fin, Abrash... ¡Allá voy, rey Nandi!

Como si le hubieran dado alas, Kika avanza a toda velocidad justo en la dirección que el monstruo trataba de bloquear, sube una larguísima escalera medio derruida y llega hasta una puerta que da al exterior.

¡Uauuuuu! ¡Menuda vista!

Desde la inmensa terraza a la que ha ido a parar se divisa toda la Ciudad Prohibida, cuyas ruinas relucen a la luz de la luna.

A lo lejos, Kika observa el río de aguas venenosas; un poco más cerca, los muros derrumbados, y más cerca aún, al otro lado de la misma terraza donde se encuentra… una enorme jaula situada entre dos leones de piedra.

 Kika se ha quedado boquiabierta.

Dentro de esa jaula hay alguien prisionero, y su larga barba blanca revela que se trata de un hombre…

Kika siente un escalofrío de emoción.

¡Ese tiene que ser el rey Nandi!

Tras avanzar hasta el pie de la gran jaula, Kika se detiene respetuosamente, pero el anciano, que está vuelto de espaldas, se limita a decir:

—Tu avidez es insaciable, Abrash.

—No soy Abrash, sino Kika…, Kika Superbruja —replica ella—. He venido para llevaros de regreso a Mandolán, rey Nandi.

El monarca se sobresalta un poco al escuchar esas palabras, pero aun así, permanece de espaldas:

—Para mí no hay regreso posible —dice—. Todo fluye… Hay que avanzar siempre…

—Ejem… —carraspea Kika—. Mi madre dice que es de mala educación no mirar a la persona con la que estás hablando.

—Tu madre tiene razón. Discúlpame, te lo ruego —contesta Nandi.

Entonces el rey se da la vuelta… y se queda pasmado de asombro al ver a su salvadora. ¡Jamás se hubiera esperado que solo fuese una chiquilla!

Kika señala el grueso candado que cierra la jaula y pregunta:

—¿Quién tiene la llave? ¿Abrash?

—Sí. La ha escondido por aquí cerca. Pero ten cuidado..., ¡es muy traicionero!

—Ya me he dado cuenta, ya... —masculla Kika mientras empieza a mirar a su alrededor.

Al fijarse en uno de los leones de piedra situados junto a la jaula, se da cuenta de que algo asoma por sus fauces. Algo largo y flexible que se mueve de forma sinuosa...

—¡Una serpiente! —grita Kika, retrocediendo de un salto, aunque enseguida reflexiona—: ¿Y si es otro de los trucos de Abrash?

Kika se acerca poquito a poco para ver mejor.

La verdad es que la serpiente parece bastante auténtica. Tiene la piel brillante, su pequeña lengua se agita peligrosamente y hasta le parece distinguir un par de colmillos venenosos.

«Glups... ¿Y si resulta que esta vez no es un truco?», piensa, con los pelos de punta.

Entonces se le ocurre una idea.

Mete la mano en el bolsillo de su pantalón, saca la pequeña flauta que le ha regalado Héctor y toca unos cuantos acordes... que suenan tan rematadamente mal que la serpiente no solo no se tranquiliza con ellos, ¡sino que sale pitando, aterrada!

Kika ve desaparecer rápidamente la punta de su cola en la oscuridad y sonríe, satisfecha:

—¡Gracias por la flauta, Héctor! ¡Me ha sido muy útil!

A continuación, introduce la mano muy despacito en las fauces del león de piedra.

Nada.

Mete la mano un poco más.

Y otro poco.

De pronto toca algo frío, lo agarra y saca lentamente el brazo de la boca de piedra.

¡La llave de la jaula reposa en su mano!

—Eres muy lista y valiente, Kika, y te agradezco lo que estás haciendo por mí, pero… ¿adónde pretendes llevarme? —le pregunta más tarde el rey Nandi cuando dejan atrás la Ciudad Prohibida en dirección al río.

—A vuestro trono, con vuestra gente —es la respuesta de Kika.

—Ah, mi trono… —musita el rey—. A veces pienso que no es más que un sillón de oro, algo que carece de importancia en la vida…

—¿Es que preferís que Gulimán y Abrash se instalen en él? —replica Kika—. ¡Vos no podéis querer eso! Vuestro pueblo os necesita, ¡sois su verdadero rey! Mi misión es ser superbruja, y la vuestra, reinar en Mandolán.

—Si tú lo dices, así será, valerosa Kika —sonríe Nandi, palmeándole cariñosamente la espalda—. ¡Veo que no me queda otra salida!

Lleno de impaciencia, Musa está esperándolos al otro lado del río, aunque la primera mirada de Kika es para Héctor.

La respiración del pequeño dragón es muy agitada, ¡pero aún vive!

Por fin, Kika se vuelve hacia Musa… que a su vez está contemplando al rey con la boca abierta.

—¡Promesa cumplida! —le dice Kika a su amigo, y dirigiéndose a Nandi, añade—: Majestad, os presento a Musa, vuestro súbdito más fiel. Él es quien me ha conducido hasta vos.

Emocionado, el joven cae de rodillas ante su rey, pero este le tiende inmediatamente la mano:

—Levántate, Musa, y muchas gracias por haber ayudado a salvarme. Sin vosotros dos, habría permanecido prisionero para siempre en la Ciudad Prohibida.

—Cuando... cuando la gente sufre y es maltratada, hay que hacer algo... —dice tímidamente Musa.

—¡Pues claro que sí, muchacho! —sonríe el rey—. ¿Me ayudarás también a impedir la injusticia de ahora en adelante?

—A vuestro servicio, mi señor —contesta Musa con una profunda reverencia—. Decidme qué debo hacer.

—¡Primero tenemos que ocuparnos de Héctor! —los interrumpe Kika, y le explica al rey que necesitan urgentemente un médico para el pequeño dragón.

Nandi actúa sin vacilar.

Con ayuda de Musa, construye una camilla con palos que recogen del suelo y se ponen rápidamente en marcha en la oscuridad de la noche.

El rey y Musa transportan a Héctor, y Kika camina a su lado, sosteniendo la pata del dragón.

Las estrellas les ayudan a encontrar el camino que atraviesa la Tierra de Nadie y conduce hasta Kalabrigún, donde los esperan el anciano Gupta y su elefante Simba.

—¡No! —dice Nandi en un tono que no admite réplica cuando Musa insiste en que su rey sea el primero en viajar a Mandolán a lomos del elefante.

Y volviéndose hacia Gupta, que ha caído de rodillas ante él en señal de respeto, añade:

—Levántate, buen hombre. Estos dos valientes jóvenes y su amigo enfermo necesitan tu ayuda mucho más que yo. Llévalos a la ciudad con tu elefante, te lo ruego. Yo iré a pie. Llegaré allí a su debido tiempo y, entonces, Gulimán y Abrash recibirán el castigo que merecen, podéis estar seguros. Amigos míos, muy pronto nos veremos… en el corazón de Mandolán.

Capítulo 7

**En el que corren lágrimas de alegría...
y de despedida**

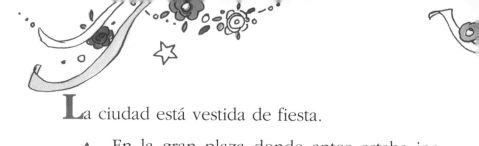

La ciudad está vestida de fiesta.

En la gran plaza donde antes estaba instalado el bazar, ahora hay un espléndido escenario sobre el que reposa un objeto envuelto en lujosos paños de colores.

Todavía a lomos de Simba tras su largo viaje, Kika y Musa enseguida comprenden lo que ocultan esas telas: ¡El trono de Mandolán!

—Todo está preparado para la coronación de Gulimán —se lamenta Musa—. Ojalá el rey Nandi llegue antes de que sea demasiado tarde… —dice mientras ayuda

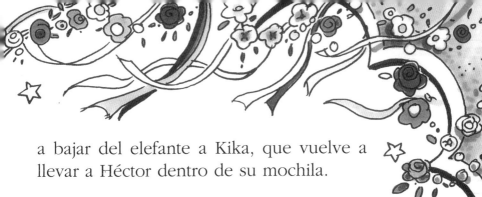

a bajar del elefante a Kika, que vuelve a
llevar a Héctor dentro de su mochila.

Llega el momento de la despedida, y los
dos chicos les dan las gracias por todo
a Gupta y Simba. Sin su ayuda, jamás
habrían logrado atravesar el desierto.

Kika abraza cariñosamente al
elefante mientras él le acaricia
la mejilla con la trompa.

—Es hora de que nos ocupemos de
Héctor —dice con un nudo en la garganta
mientras ve cómo el elefante y su amo se
alejan. ¡Les ha tomado muchísimo cariño!

—Conozco a una sanadora que puede ayudarnos —propone Musa, que también ha tenido que
limpiarse una lágrima a escondidas al despedirse
de sus amigos.

El problema es cómo van a cruzar la ciudad para
llegar hasta esa sanadora sin que los descubran
los espías voladores de Abrash ni los atrape la
guardia de palacio.

—Con tu pelo rojo y esas ropas tan extrañas que llevas, seguro que te reconocen en el acto —dice Musa, preocupado—. Ha sido toda una suerte que te hayan dejado traspasar las puertas de la ciudad, pero ahora ya no tenemos a un elefante que llame la atención más que tú... ¡Hay que disfrazarte!, pero... ¿cómo? Yo no tengo más ropa que la que llevo puesta, y...

—¡Leila! ¡Eh, Leila! —sonríe de pronto Kika, y dejando a Musa con la palabra en la boca, echa a correr hacia la joven que acaba de descubrir entre la multitud—. Leila, ¡necesito tu ayuda!

—Sea lo que sea lo que necesitas, ¡nada me alegrará más que ayudarte a conseguirlo! —responde la ex sirvienta del Gran Visir—. Te debo nada menos que mi libertad.

En cuanto escucha el problema de Kika, Leila le proporciona rápidamente un maravilloso vestido con velo para ocultar su pelo rojo y, en un abrir y cerrar los ojos, la transforma en una genuina mandolana.

Con este camuflaje, Kika y Musa, que es quien lleva ahora la mochila con Héctor, se mezclan perfectamente entre la multitud y muy pronto llegan a la consulta de la sanadora.

Los estantes de la consulta están atiborrados de cajas y frascos llenos con todo tipo de hierbas y elixires medicinales de lo más curioso: polvo de huesos de serpiente, patas de araña confitadas, ojos de rana en vinagre, agua cristalizada del río Ganges, caca de cangrejo mezclada con babas de tritón...

—¿Qué puedo hacer por vosotros? —pregunta la sanadora mientras examina a Kika y a Musa por encima de sus gafas.

Kika saca a Héctor de la mochila y lo deposita con cuidado sobre la mesa de la consulta.

—Está muy grave —diagnostica la sanadora, frotando uno de los puntos verdes que han aparecido por todo el cuerpo de Héctor—. La enfermedad no es rara, pero el animal sí... ¡Un dragón volador! —murmura, silbando por lo bajo—. Parecen salamandras con alas, pero no saben igual de ricos.

—¿Puedes ayudarle? —le pregunta Musa, impaciente.

—Por supuesto que sí. No os preocupéis por él —los tranquiliza la sanadora—. Con mi cataplasma especial hecha de fango, algunas hierbas medicinales y veneno de serpiente, dentro de un par de horas vuestro dragón estará más fresco que una lechuga.

—¿Veneno de serpiente? —se inquieta Kika.

—No temas, solo se aplica externamente. ¡El pobre animalito ha debido de beber agua corrompida!

—¿Y nosotros no podemos hacer nada? —quiere saber Musa.

—No, solo esperar y beber té, si os apetece. Volved dentro de dos horas y podréis llevaros a vuestro amigo —dice la sanadora, dándose la vuelta para buscar los ingredientes de la cataplasma entre sus estantes.

Mientras Kika se plantea si no es demasiado arriesgado dejar tanto tiempo a Héctor en manos de una extraña, alguien más entra en la consulta…

¡Es el mago Abrash!

Y lo acompaña el capitán de la guardia.

Abrash reconoce inmediatamente a Musa, ya que sus espías voladores le han enviado un montón de imágenes de él.

A una seña del mago, el capitán de la guardia se abalanza sobre el chico y lo inmoviliza al instante.

A continuación, Abrash dirige una larga e inquisitiva mirada a Kika y no tarda en arrancarle el velo de la cabeza para descubrir su pelo rojo.

—¡Ya te tengo, miserable superbruja! — exclama, complacido.

La primera reacción de Kika es lanzar disimuladamente el velo para cubrir con él a Héctor, que todavía yace sobre la mesa de la consulta. Por suerte, ¡Abrash no lo ha descubierto aún!

—Y ahora, ¡empieza a hablar! —le ordena el mago—. Sé que has estado en la Ciudad Prohibida. Yo lo veo todo y, muy pronto, también lo sabré todo… Así que, dime: ¿Cuál es la fórmula mágica para desencantar el trono? Y no me vengas con más disparates, ¿o crees que me tragué aquella bobada de *Marimbulo* y la caca de canguro?

—Pe…pe…pero es que yo… —empieza a tartamudear Kika.

¡Porras, porras y requeteporras!

Abrash sabe que ha estado en la Ciudad Prohibida, pero… ¿sabrá también que ha liberado al rey? ¡Ojalá Nandi estuviera allí! ¡Seguro que podría echarles una mano!

Antes de que a Kika se le ocurra una idea para escapar, Abrash pierde la paciencia y ordena a gritos al capitán de la guardia:

—¡Córtale la cabeza! ¡No pienso permitir que una bruja enana me tome el pelo!

Sin soltar a Musa, el capitán desenvaina su sable y avanza amenazadoramente hacia Kika.

Sin embargo, en el último momento, Abrash se lo piensa mejor:

—¡Alto! Primero ocúpate de su amiguito… —dice señalando a Musa con una sonrisa perversa—. A la bruja tal vez la necesitemos luego y, además, quiero que presencie cómo desencanto el trono yo mismo. ¡Eso le enseñará a respetar a Abrash, el gran mago!

El guardián pincha a Musa con su sable y el chico suelta un grito de dolor.

—¿Qué me dices? —presiona Abrash a Kika—. ¿Cuál es la fórmula mágica? ¿O es que vas a sacrificar a tu amigo por ella?

—¡No digas nada, Kika! —grita Musa—. ¡Resistiré!

Cuando el guardián le pincha más fuerte con su sable, en la camisa del chico se dibuja una mancha de sangre.

—¡Alto! ¡Me rindo! —exclama Kika, desesperada, y con dedos temblorosos se saca del bolsillo la nota con las fórmulas y se la tiende al mago—. Aquí encontrarás todo lo que necesitas, ¡miserable!

—¡Bah, menuda superbruja de pacotilla estás tú hecha! —se burla él, arrebatándole la nota de un zarpazo—. Ya no supones ningún peligro para mí. Ahora, el supermago soy yo, y muy pronto también me convertiré en super…¡REY! —añade con una siniestra carcajada antes de desaparecer a toda prisa, seguido por el capitán de la guardia.

Kika y Musa intercambian una mirada y, al instante, su espíritu de lucha despierta de nuevo:

—¡Vamos tras ellos! ¡No podemos rendirnos ahora! —grita Kika, rabiosa.

Pero al instante vacila y se vuelve hacia Héctor. Tras retirar con cuidado el velo con el que lo ha tapado, contempla angustiada al pequeño dragón.

Mientras tanto, la sanadora sigue de espaldas, rebuscando tranquilamente entre sus estantes. Por increíble que parezca, ¡no se ha dado ni cuenta de lo que acaba de pasar en su consulta!

—Es un poco dura de oído… —explica Musa, encogiéndose de hombros—, ¡pero una sanadora extraordinaria!

Kika se despide de Héctor acariciándole la frente con suavidad:

—No tengo más remedio que dejarte otra vez, amigo mío, pero te pondrás bueno enseguida… ¡Suki estará encantada de volver a verte sano y salvo!

Poco después, Kika y Musa llegan a la gran plaza donde se ha instalado el escenario para la coronación... y Nandi todavía no ha aparecido.

—¡Ojalá llegue a tiempo! —murmura Kika, preocupada.

Abrash y el Gran Visir Gulimán suben al escenario entre toques de trompetas.

—¡Amado pueblo de Mandolán! —toma la palabra Gulimán—. ¡Ha llegado el día de que tengáis un nuevo rey!

—Lo que quiere deciros es que le tendréis a él —aclara Abrash.

—¡Buuuuuuuu! —los abuchea la gente—. ¡No queremos un nuevo rey! ¡Queremos a Nandi!

El mago ignora las protestas y continúa hablando:

—Ahora seréis testigos de cómo vuestro nuevo rey sube al trono —y le hace una seña a Gulimán para que tome asiento—. ¡Aguarda! Antes de que se me olvide...

Tras susurrar algo al oído al Gran Visir, le entrega una copa llena del filtro mágico que ha preparado siguiendo las instrucciones de Kika.

Gulimán lanza una mirada al brebaje y descubre que en la superficie flotan unas partículas marrones de lo más sospechosas.

—¿Esto es… lo que parece? —pregunta, muerto de asco.

—¡Si quieres ocupar el trono, bebe! —le ordena Abrash, conteniendo una risita maligna.

Gulimán siente arcadas, pero se lleva la copa a los labios, echa la cabeza hacia atrás y empieza a tragar.

—¡Puajjjjjj! —exclama, a punto de vomitar.

Los sirvientes de palacio ya han retirado las ricas telas que cubren el trono, y el Gran visir sube los peldaños que conducen hasta él.

Entonces exclama con voz solemne:

—*¡Marimbulo-trono!*

Y se sienta.

Una décima de segundo después...

¡ZASSSSSS!

¡Sale despedido por los aires y aterriza de culo en un charco, justo a los pies de la gente que acaba de abuchearlo!

—¡Ahí es donde tienes que estar! ¡En el barro! —lo celebran todos entre risas.

Todavía frotándose las generosas posaderas tras el golpe, el Gran Visir ordena, ciego de ira:

—¡A mí la guardia! ¡Echad a toda esta chusma al foso de las serpientes!

Pero lo único que recibe es un montón de carcajadas. Ya nadie se toma en serio a Gulimán, ni siquiera su propia guardia.

—¡Amado pueblo de Mandolán! —grita entonces Abrash, que aún sigue subido al escenario—: ¡Escuchad lo que tengo que anunciaros!

En la plaza, la gente vuelve su atención hacia él.

—¡Que el propio trono decida quién será el nuevo rey! —continúa el mago—. ¡Yo mismo me sentaré en él, y así todos seréis testigos de que me acepta como vuestro soberano!

Kika y Musa se miran, horrorizados.

¡De modo que ese era el plan de Abrash! ¡El muy canalla quiere ocupar el trono él mismo!

—¿Dónde porras se habrá metido Nandi? —solloza Kika, desesperada—. Todos nuestros esfuerzos no han servido de nada... Ya es demasiado tarde.

Sin dejar de mirar desesperadamente a su alrededor buscando a Nandi, Musa abraza a Kika para consolarla.

—Tranquila —le dice—. Alá es misericordioso... ¡Seguro que tu valor no quedará sin recompensa!

—¡Oh, no! —gime Kika.

El mago acaba de sacar del bolsillo de su túnica... ¡la nota con las fórmulas mágicas!

—Regla de bruja número siete, párrafos *x, y* y *z: ¡Jamás, jamás, JAMÁS entregues a nadie tus*

fórmulas mágicas secretas! —musita Kika, derrotada.

Con paso solemne, Abrash sube los escalones hacia el trono y la multitud enmudece.

¡Todos quieren ver si él también sale despedido!

Todos menos Kika, que se vuelve de espaldas, incapaz de soportarlo.

De pronto, una vocecilla chillona rompe el silencio que reina en la plaza:

—¡KIKAAAAA!

Conteniendo el aliento, Kika piensa mientras se da la vuelta: «Ese solo puede ser...».

Y enseguida grita, loca de alegría:

—¡Héctor! ¡Estás curado!

El pequeño dragón sobrevuela la plaza en zigzag a toda velocidad... y con bastante peligro de realizar otro de sus aterrizajes forzosos en cualquier momento.

—¿Dónde está Suki? ¡Me la prometiste! —refunfuña desde el aire.

—Ya veo que vuelves a ser el de siempre, mi querido amigo... —susurra Kika, emocionada.

Y en ese mismo instante se le ocurre una super-
idea…

—¡Héctor! —le grita con todas sus fuerzas—.
¿Ves la nota que Abrash tiene en la mano? ¡Debes
traérmela! ¡Vuela, vuela… y quítasela!

Tras un arriesgadísimo viraje, Héctor se lanza en
picado hacia Abrash, pero el mago lo ve venir
de lejos y, cuando el dragón ya está a punto de
alcanzarlo, se echa ágilmente a un lado.

Por desgracia, Héctor no consigue frenar a tiempo… ¡y se empotra en los adornos florales que
decoran el escenario!

La gente grita, horrorizada, y Kika siente que se
le para el corazón.

—¡Tienes que hacer algo! —le grita Musa, angustiado, al ver que el mago aún tiene en su poder la nota con las fórmulas mágicas.

Kika cierra los ojos, tratando de concentrarse. Si no se le ocurre nada, ¡la persona equivocada se sentará en el trono de Mandolán!

Si al menos pudiese ganar tiempo hasta que llegue Nandi...

—¡Haz lo que sea! ¡Un encantamiento! —le insiste Musa.

¿Un encantamiento? ¡Pues claro! Pero... ¿cuál?

Kika se devana los sesos. ¡Qué bien le vendría ahora su libro secreto de hechizos! Aunque..., ¡un momento! ¡Se le acaba de ocurrir algo!

¿Cómo era la fórmula mágica con la que redujo a los soldados de la guardia? Si consiguiera volver diminuto a Abrash... ¡sería genial!

¿Cuáles eran las palabras? ¡Porras! ¡Solo se acuerda del principio y el final! *Labriudum... piruna,* pero ¿qué iba en medio? ¿Era *cosinistra* o *exinistra?*

—¡Vamos, Kika! ¡Abrash está a punto de sentarse en el trono! —grita Musa—. ¡Utiliza tus poderes de superbruja!

—¿Era *cosinistra* o *exinistra?* —pregunta ella, dudosa.

—¡Da lo mismo! ¡Di lo que sea! —le suplica Musa.

Por fin, Kika levanta los brazos y exclama con voz potente:

—*¡Labriudum exinistra piruna!*

Todos miran hacia el escenario conteniendo la respiración.

Al principio, el mago empieza a engordar poquito a poco. Primero solo su trasero, después su barriga… Pero enseguida comienza a hincharse todo entero a una velocidad increíble.

—¡Porras! ¡Eso no es lo que yo quería! —protesta Kika, aunque en realidad le cuesta contener la risa.

¡Abrash se ha puesto tan inmensamente redondo que jamás podría sentarse en ningún trono!

Por su parte, los mandolanos están tan pasmados ante la transformación del mago, que aún no saben muy bien si reírse o no de su pinta de bola gigantesca. De momento, simplemente se han quedado boquiabiertos.

En ese momento, Héctor vuelve a aparecer dando tumbos entre los adornos florales del escenario.

—¡Héctor, tráeme la nota que Abrash tiene en la mano! —le grita Kika—. ¡Me pertenece!

Un poco mareado aún, el pequeño dragón salta rápidamente hacia el mago.

¿Le arrancará la nota de la mano?

 No. Héctor tiene otro plan: ¡Clavar sus afilados dientes en el inmenso trasero de Abrash!

El mago suelta un chillido… y deja caer la nota. ¡Está tan hinchadísimo que ni siquiera puede agacharse para recogerla!

Al frotarse el trasero dolorido, Abrash comprueba espantado que Héctor no se ha limitado a agujerearle la ropa… ¡El aire está empezando a salir de su cuerpo!

¡FSSSSSSSSSH!

Igual que un globo recién pinchado, el mago sale disparado como un cohete hacia arriba y no tarda en perderse para siempre en el cielo azul de Mandolán.

La gente estalla en aplausos y Kika corre al escenario para abrazar al pequeño dragón.

—¡Héctor, Héctor! ¡Nos has salvado! ¡Eres un héroe!

—¡Superclaro! ¿Qué esperabas? ¡Eso es lo normal en un dragón volador de primera clase como yo!

De repente, la alegre multitud redobla sus aplausos, aunque esta vez no van dedicados solo a Kika y a Héctor…

¡El rey Nandi por fin ha llegado y su pueblo lo vitorea, feliz!

—¡Al trono! —gritan—. ¡Que suba al trono, antes de que lo intente cualquier otro!

Nandi avanza majestuosamente hacia el escenario, sube los escalones y toma asiento en el trono… ¡sin que este lo rechace!

Los músicos de palacio comienzan a tocar una alegre melodía y la multitud rompe a bailar, entusiasmada.

Instantes después, el rey abre los brazos y sus súbditos lo escuchan con devoción:

—¡Amado pueblo de Mandolán! Me complace enormemente verme de nuevo entre vosotros, y mi alegría por vuestra lealtad es inmensa. Perdono la vida a Gulimán, mi traidor sobrino siempre ávido de poder, pero me encargaré de que jamás pueda volver a hacer daño...

—¡Nandi vive! ¡Nandi es justo! —resuena por toda la plaza—. ¡Viva Nandi, nuestro verdadero rey!

—¡Amados súbditos! —continúa el monarca—. Quiero presentaros a la persona cuya valerosa ayuda me ha permitido recuperar hoy este trono. ¡Fue una intrépida jovencita quien me liberó de la Ciudad Prohibida, donde el pérfido Abrash me mantenía prisionero valiéndose de sus sucios trucos!

Entonces el rey se levanta del trono para pedirle a Kika que suba a su lado.

Pero... ¿dónde se ha metido Kika? ¡Si hace un momento estaba allí mismo!

Al comprobar que el trono de Mandolán acepta a Nandi como su legítimo rey, Kika sabe que su misión allí ha terminado, así que decide ceder a los ruegos de Héctor, que lleva un buen rato dando la tabarra:

—¡Vamos a buscar a Suki *ya!* ¡Me lo prometiste! ¡Quiero a Suki! ¡La quiero, la quiero y la quiero!

A Kika le habría gustado compartir un rato más la alegría de los habitantes de Mandolán, pero lo prometido es deuda.

El vendedor de genios de las botellas no se alegra mucho cuando la extraña niña de pelo rojo aparece en su tienda en compañía de su salamandra.

Kika va derechita por la botella correcta, la frota y...

¡FUASSSSSSS!

La bella Suki aparece al instante.

Héctor se queda completamente embobado al verla, y también Suki parece encantada de volver a encontrarse con el pequeño dragón.

Kika pone todo su dinero sobre el mostrador y, al ver de nuevo aquellas extrañas monedas, los ojos del vendedor brillan casi más que los del propio Héctor.

—¿Puedo molestaros un segundo, tortolitos? —pregunta Kika al oído de Héctor.

—¿Tortolitos? ¿Y eso qué es? —quiere saber el dragón.

—¡Nada comestible! —se ríe Kika—. Se llaman así los que acaban de enamorarse y no piensan en otra cosa. Me gustaría hablar contigo un momento. Te prometo que no tardaré.

Tras besar en la mejilla a su adorada Suki, Héctor acompaña a Kika hasta la puerta.

—Tenemos que despedirnos —le dice ella—. Ahora estás en buenas manos, y puedes decidir por ti mismo si quieres volver o no con Elviruja.

—¡Superclaro que quiero volver con Elviruja! Pero todavía no... A lo mejor dentro de algún tiempo, ¡Suki me acompaña al Bosque Tenebroso!

—Estoy segura de que todo te irá de maravilla... —continúa Kika—, pero hay un pequeño problema con mi vuelta a casa...

—¿Un problema? ¡Pues yo no puedo ayudarte! Ya te las apañarás tú solita para volver. Al fin y al cabo, ¡la bruja eres tú! —refunfuña Héctor.

—Ejem... Es que... el problema no es exactamente volver... —replica Kika en voz baja.

—Ah, ¿no? Y entonces, ¿cuál es? —pregunta el dragón, intrigado.

—El bucle temporal al que enviaste a mamá y a Dani, ¿o es que ya no te acuerdas?

—¡Pues sácalos de allí! —le sugiere Héctor.

—¡Es que no sé cómo! —confiesa Kika, avergonzada—. ¡El hechizo fue tuyo!

—Vale, vale, lo comprendo... ¡Está claro que necesitas la intervención de un auténtico dragón volador!

Hinchado de orgullo, Héctor le susurra al oído las palabras mágicas que necesita.

—Pero recuerda que el truco solo funcionará hoy... —añade—. Depende de la posición de la luna, ¿comprendes?

—¡Con hoy me basta y me sobra! —exclama Kika, aliviada, estampándole un gran beso de despedida antes de encaminarse de nuevo a la plaza.

Todavía tiene que despedirse de alguien más.

Al llegar, Kika escucha el discurso que Nandi está dirigiendo a su pueblo.

Justo en ese momento, el rey está presentando a Musa como su nuevo Mayordomo Mayor:

—De ahora en adelante, él me ayudará a mantener alejada la desgracia de Mandolán.

—¡Viva Musa, Mayordomo Mayor de Su Majestad!
—lo aclama la gente.

Entre tanto, Musa ya ha divisado a Kika, la anima a subir al escenario...

¡... y la multitud empieza a aplaudirla como loca!

—Bah, si no ha sido nada —musita Kika, abochornada.

Deseosa de librarse de los aplausos, se lleva rápidamente aparte a Musa, lo mira a los ojos y le dice en voz baja:

—Amigo mío... ¡Ha sido una aventura maravillosa! Pero ahora tengo que marcharme...

—¿Para siempre? —le pregunta él mientras la abraza, desconsolado.

—Espero que no —responde ella, llenando de lágrimas el cuello de Musa—: Seguro que volveremos a vernos.

—¡Así será! —afirma él, convencido.

De pronto, la expresión de Musa se ilumina y mete la mano en el bolsillo de su pantalón.

160

—Toma —le dice, entregándole un paquetito plano—: Música para el corazón... y para que no me olvides.

—Gracias, Musa. Yo... yo... te voy a echar de menos —responde ella, conmovida—. ¡Hasta la vista, señor Mayordomo Mayor!

Ahora es Musa quien parece a punto de llorar, así que rápidamente da media vuelta para volver junto a su rey.

Sin embargo, de pronto se gira para gritarle a Kika:

—¿Sabes? ¡Ya sé cuál va a ser mi primer acto oficial!

Ella sonríe y lo sigue durante un buen rato con la mirada.

Por fin, saca su ratoncito de peluche para dar el «Salto de la bruja» hasta su casa.

Pero antes de estrecharlo contra su corazón, se fija en el palacio real. O, para ser exactos, en la ventanita situada en su torre izquierda, justo debajo del tejado...

Kika se echa a reír.

¡Alguien está saludándola desde allí!

Y, de repente, de esa misma ventana empiezan a salir cientos y cientos de cuervos...

¡El primer acto oficial de Musa ha sido soltar a todos los espías voladores, que ahora vuelan hacia su recién ganada libertad!

—¡Que os vaya bien, cuervos! ¡Que te vaya bien, Mandolán! ¡Que te vaya bien, Musa, querido amigo! —exclama Kika antes de recitar la fórmula mágica.

¡¡¡FIUUUUUU!!!

Kika aterriza en su habitación.

En la casa reina un tremendo silencio.

¡Normal! ¡Kika los mandó a todos a «dormir»!

Mamá y Dani siguen en la cocina, completamente inmóviles y con los ojos muy abiertos.

—¡Igual que en *La Bella Durmiente!* ¿Y si intento despertarlos con un beso? —sonríe Kika, traviesa.

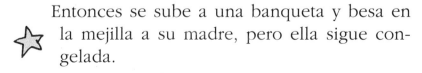

Entonces se sube a una banqueta y besa en la mejilla a su madre, pero ella sigue congelada.

—Vale, los besos no funcionan... ¿Qué tal una fórmula mágica?

En cuanto pronuncia las palabras que Héctor le susurró al oído, Dani sale disparado de la cocina y mamá pregunta, extrañada:

—Kika, ¿por qué está abierta la nevera?

—Pues... porque estás guardando la compra dentro, ¿no? —contesta ella.

—Ay, sí, tienes razón, hija. A veces no sé dónde tengo la cabeza...

Kika sonríe disimuladamente, aunque al pasar por delante del cuarto de estar para irse a su habitación, no puede evitar una carcajada.

¡Sentado en el elegante sillón de lectura nuevo, Dani parece un auténtico rey en su trono! Mamá le dijo que, si volvía a pillarle allí subido, saldría volando... ¡y el pobre está esperando a que eso ocurra!

Kika se promete a sí misma que buscará un hechizo para hacer volar a su hermano. Pero eso será otro día...

Ya en su habitación, cierra la puerta y se deja caer de golpe sobre la cama.

—¡Ufffff! Me alegro de haber vuelto a casa..., ¡pero la verdad es que ha sido una aventura genial! —exclama, pensando en Mandolán.

Entonces apoya la cabeza en su cojín favorito y cierra los ojos.

Pero su tranquilidad no dura mucho...

¡Mamá acaba de pillar a Dani en el sillón de lectura!

«A este paso, el muy microbio sí que va a salir volando...», piensa Kika, divertida.

Un minuto después, Dani entra en su cuarto sin llamar a la puerta, como de costumbre.

—Kika, ¿juegas conmigo? —pregunta con voz mimosa.

—¡Pues claro, enano! —sonríe ella.

De pronto se acuerda de algo y empieza a rebuscar en su mochila.

¡Ahí está el paquetito que le ha regalado Musa!

Tras desenvolverlo, descubre que se trata de un CD y, muerta de curiosidad, lo mete en su reproductor portátil.

Al instante empieza a sonar una maravillosa melodía oriental.

¡Kika no puede resistir la tentación de ponerse a bailar!

Cuando su hermano la mira con los ojos como platos, ella le coge de la mano y empieza a dar vueltas con él por toda la habitación.

—¿Qué música es esta? —pregunta Dani.

—Se llama *Mandolán en el corazón,* y me la ha regalado un amigo muy, muy especial —contesta Kika, poniéndose un poco colorada.

Después de todo, puede que Héctor no sea el único que se ha enamorado un poco en esta aventura…

Héctor, el amigo
de Kika y experto
en magia y encantamientos,
os presenta:

Truco
mandolano

«El vuelo mágico»

¿Quieres ver cómo vuela
el dragón Héctor?

¡Pues prepárate,
porque aquí hay
un truco
estupendo para ti!

Calca o copia
este modelo.

Luego recorta
los dos
semicírculos
y únelos
por el centro.

A continuación,
pega el círculo
que has
formado sobre
una cartulina
gruesa
y recórtalo
de nuevo.

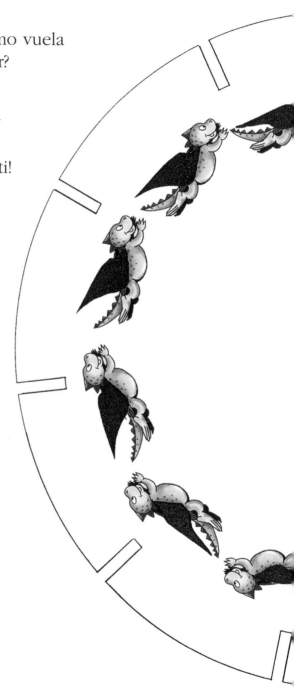

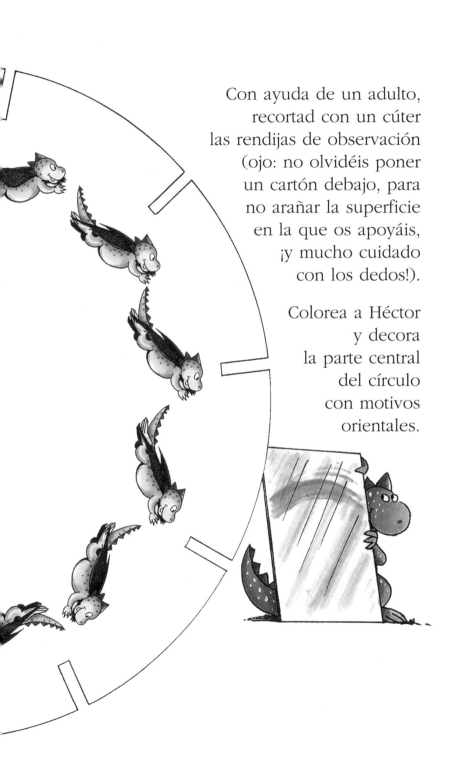

Con ayuda de un adulto,
recortad con un cúter
las rendijas de observación
(ojo: no olvidéis poner
un cartón debajo, para
no arañar la superficie
en la que os apoyáis,
¡y mucho cuidado
con los dedos!).

Colorea a Héctor
y decora
la parte central
del círculo
con motivos
orientales.

Pasa un alfiler por el centro del círculo y clávalo por detrás en un corcho, de manera que puedas girar el círculo con facilidad.

Si ahora te colocas frente a un espejo y haces girar el círculo mientras miras con los dos ojos a través de las rendijas, ¿qué es lo que ves?

¡Héctor está volando...
por arte
de magia!

¡Hola!

Este que ves en la foto soy yo. Me llamo KNISTER, y soy el autor de las aventuras de Kika Superbruja.

Como siempre me ha gustado vuestro mundo, el de los chicos y chicas como tú, he escrito muchos libros y canciones para vosotros, y también obras de teatro.

Me encanta presentar programas de lectura en la tele, la radio, las bibliotecas, los teatros y las librerías de mi país (que, por cierto, es Alemania), y también disfruto mucho cuando realizo trabajos para chicos y chicas que son discapacitados psíquicos, o disléxicos, o ciegos..., todos ellos de tu misma edad.

Pero lo mejor de todo es cuando vosotros participáis conmigo en lo que hago, leyendo mis libros y compartiendo las aventuras de los personajes que los protagonizan.

En esta ocasión he querido presentaros a Kika Superbruja. Como es una bruja supersecreta, me costó bastante que me explicara sus trucos de magia, pero al final lo conseguí. Aunque..., no sé por qué, pero me da la impresión de que Kika Superbruja no me ha contado todos sus supersecretos... ¡y a lo mejor todavía le quedan unos cuantos hechizos guardados en la manga!

www.KNISTER.com

171

Índice

	Pág.
Capítulo 1	9
Capítulo 2	19
Capítulo 3	39
Capítulo 4	65
Capítulo 5	99
Capítulo 6	109
Capítulo 7	131

Truco mandolano

«El vuelo mágico»   Pág.
                              167

Colección «Kika Superbruja»

0. *Kika Superbruja y el libro de hechizos*
1. *Kika Superbruja, detective*
2. *Kika Superbruja y los piratas*
3. *Kika Superbruja y los indios*
4. *Kika Superbruja revoluciona la clase*
5. *Kika Superbruja, loca por el fútbol*
6. *Kika Superbruja y la magia del circo*
7. *Kika Superbruja y la momia*
8. *Kika Superbruja y la ciudad sumergida*
9. *Kika Superbruja y la espada mágica*
10. *Kika Superbruja en el castillo de Drácula*
11. *Kika Superbruja en busca del tesoro*
12. *Kika Superbruja y don Quijote de la Mancha*
13. *Kika Superbruja en el Salvaje Oeste*
14. *Kika Superbruja y el hechizo de la Navidad*
15. *Kika Superbruja y los vikingos*
16. *Kika Superbruja y los dinosaurios*
17. *Kika Superbruja y sus bromas mágicas*
18. *Kika Superbruja y la aventura espacial*
19. *Kika Superbruja en el país de Liliput*
20. *Kika Superbruja y el examen del dragón*
21. *Kika Superbruja y el viaje a Mandolán*

Colección «Kika Superbruja y Dani»

1. *Kika embruja los deberes*
2. *El cumple de Dani*
3. *El vampiro del diente flojo*
4. *El loco caballero*
5. *El dinosaurio salvaje*
6. *La gran aventura de Colón*
7. *El partido de fútbol embrujado*
8. *El hechizo fantasma*
9. *Un pirata en la bañera*
10. *Un osito en la nevera*
11. *Un fantasma en el colegio*
12. *El misterioso genio de la botella*
    Cuaderno para colorear

Especiales Kika Superbruja

Especial cumpleaños - Especial Navidad
Libro de magia - El mundo de Kika
Superpasatiempos
Kika Superbruja y el hechizo
de la Navidad (EDICIÓN ESPECIAL)
Kika Superbruja y el libro de hechizos
(EDICIÓN ESPECIAL N.º 0 CON FOTOS DE LA PELÍCULA)
Kika Superbruja y el libro de hechizos
(ÁLBUM DE LA PELÍCULA)
Kika Superbruja y el libro de hechizos
(ÁLBUM DE CROMOS DE LA PELÍCULA)
Kika Superbruja y el viaje a Mandolán
(EDICIÓN ESPECIAL N.º 21 CON FOTOS DE LA PELÍCULA)

Colección «Todo sobre...»

1. *Todo sobre los piratas*
2. *Todo sobre los dinosaurios*
3. *Todo sobre los antiguos egipcios*
4. *Todo sobre los caballeros*
5. *Todo sobre los delfines y las ballenas*
6. *Todo sobre los caballos*

Colección «Kika Superwitch»

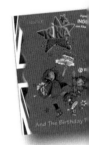

1. *Kika Superwitch*
   Trouble at School
2. *Kika Superwitch*
   at Vampire Castle

Colección «Kika Superwitch & Dani»

1. *Kika Superwitch & Dani*
   Magic Homework
2. *Kika Superwitch & Dani*
   And the Wild Dinosaurs
3. *Kika Superwitch & Dani*
   And the Birthday Party

Colección «Vacaciones con Kika»

Repasa 1.º y prepara 2.º
Repasa 2.º y prepara 3.º
Repasa 3.º y prepara 4.º
Repasa 4.º y prepara 5.º
Repasa 5.º y prepara 6.º
Repasa 6.º